# DÉCLARATION D'INSOUMISSION

## À l'usage des musulmans
## et de ceux qui ne le sont pas

Du même auteur

*La Nuit brisée*, Ramsay, 1988

*Une fiction troublante*, Éditions de l'Aube, 1994

*La Psychanalyse à l'épreuve de l'islam*, Aubier, 2002 ;
rééd. coll. « Champs », 2005

*La Virilité en islam*, avec Nadia Tazi (dir.), Éditions
de l'Aube, 2004

*Soudain la révolution. De la Tunisie au monde arabe :
la signification d'un soulèvement*, Denoël, 2011

Fethi BENSLAMA

# DÉCLARATION
# D'INSOUMISSION

## À l'usage des musulmans
## et de ceux qui ne le sont pas

Champs actuel

© Flammarion, 2005
© Flammarion, 2011, pour la présente édition.
ISBN : 978-2-0812-4884-7

Je vois la blancheur du livre
là où s'éteint la chandelle
du retour
[...].
Seul le mensonge
Embrasse l'éternité,
Distribue au monde
Ses rôles,
Le mensonge conquérant
Qui rampe dans la nudité des âmes.
Le mensonge vainqueur
Édifie ses paradis.

Basset ben Hassan, *'Ab'ad min al-hadhîdh*
(Plus loin que le désastre)[1].

---

1. Extrait traduit de l'arabe par Fethi Benslama, Tunis, L'Or du temps, 2000.

# NOTE POUR LA NOUVELLE ÉDITION
## (2011)

L'appel à l'insoumission que ce petit livre avait lancé en 2005 semble avoir été entendu : en témoigne l'élan révolutionnaire qui s'est fait jour en Tunisie et qui se propage dans l'ensemble du monde arabe. Surtout, les analyses et les propositions que ce texte avançait se trouvent confirmées dans le nouveau langage insurrectionnel qui ébranle l'idéologie dominante portée par le discours sur l'identité. Or l'indication d'*un dégagement du paradigme identitaire* paraissait alors un vœu pieux, une élucubration d'intellectuel désespéré, pris en tenaille entre des gouvernements tyranniques et des mouvements islamistes porteurs du ferment totalitaire. Est-ce à dire qu'il s'agit de clairvoyance ou de prophétie ? Non. Peu de gens ont lu cette déclaration dans le monde arabe, et la jeunesse qui a surmonté la crainte et l'inespoir ne nous a pas attendu, elle n'a pas eu besoin de la figure de l'éclaireur de jadis. Je pense plutôt que la parole contenue dans ce texte, en employant d'autres moyens, présente des similitudes avec ce soulèvement et entrevoit une issue comparable. Sauf qu'il en est de l'esprit d'une révolution comme du poème, il est bien plus fulgurant qu'une analyse et ses détours.

On peut donc aborder ce livre comme un commentaire de ce qui a rendu nécessaire les insurrections d'aujourd'hui, sans toutefois perdre de vue que des soulèvements, même aussi massifs que ceux auxquels nous assistons, des chutes de tyrans, si spectaculaires soient-elles, ne suffisent pas à faire révolution. Les changements désirés vont rencontrer des résistances conscientes et inconscientes que les sociétés arabes devront affronter à nouveaux frais, telle que la place de l'islam. L'islam, enjeu central de la guerre qui se déroule depuis une trentaine d'années : une guerre dont le but est de pouvoir définir ce qu'« islam » veut dire, afin de parler en son nom. Car parler « au nom de » confère un pouvoir souverain. L'expression « Au nom de... » ouvre cette déclaration et constitue le noyau dur de la présente réflexion. Son enjeu reste d'actualité avant et pendant les processus de transition démocratique.

Fethi BENSLAMA
Tunis-Paris, le 24 février 2011

*Le texte qui suit fut rédigé à la demande d'un groupe de travail composé de signataires du* Manifeste des libertés, *publié le 16 février 2004*[1] *à Paris, dans lequel des femmes et des hommes appelaient tous ceux qui se reconnaissent à la fois dans les valeurs de la laïcité et dans la référence à l'Islam comme culture à sortir de leur isolement et à s'opposer à l'idéologie de l'islamisme.*

*Dans la deuxième partie de cet ouvrage, j'expose le contexte qui a donné lieu à la présente* déclaration d'insoumission, *ainsi que quelques-uns des* ressorts politiques et psychiques de la situation actuelle, *qui m'ont conduit à prendre la parole.*

*Le lecteur voudra bien noter la distinction entre* « Islam », *écrit avec l'initiale en majuscule pour désigner la civilisation et* « islam » *réservé au fait religieux. La raison de cet usage, qui recouvre un enjeu de fond, apparaîtra progressivement dans le texte de la* « déclaration » *et sera explicitée dans le* « contexte ».

---

1. Paru dans le quotidien *Libération*, ce texte a recueilli plus de 1 500 signatures. *Cf.* le texte du *Manifeste* sur le site : http://www.manifeste.org.

## DÉCLARATION D'INSOUMISSION

« Au nom de l'islam... » : telle est aujourd'hui l'invocation macabre, la folle litanie qui s'adjuge le pouvoir absolu de détruire. Elle n'épargne ni la vie humaine, ni les institutions, ni les textes, ni l'art, ni la parole. Quand la force du nom irradie de tant de dévastations, nous ne pouvons tenir ce qui arrive pour un accident. Qu'au cours de l'Histoire d'autres noms prétendant apporter le salut (christianisme, communisme, empires coloniaux, etc.) aient autorisé des exactions sans nom et y aient donné lieu n'est d'aucune consolation. Que cette ardeur violente résulte en même temps d'un contexte historique et géopolitique, dans une situation générale dont les fractures projettent le pire des mondes à venir, c'est ce que nous devons intégrer dans des analyses patientes, sans nous détourner de la tâche la plus exigeante. Car ce que nous devons interroger prioritairement, c'est la brèche qui a libéré dans l'aire d'Islam une telle volonté désespérée de détruire et de s'autodétruire. Ce que nous devons penser et obtenir, c'est une délivrance sans concession avec les germes qui ont produit cette dévastation. Un devoir d'*insoumission* nous incombe, à l'intérieur de nous-mêmes et à l'encontre des formes de servitude qui ont conduit à cet accablement.

Depuis les années soixante-dix, nous avons commencé à être instruits de la dislocation vertigineuse et cruelle que nous vivons. Nous avons été témoins du processus d'arasement qui a produit les dévastations économiques, sociales, culturelles, spirituelles dans la plupart des sociétés islamiques. Si la génération politique qui a mené la lutte contre le colonialisme et obtenu l'émancipation des peuples n'a pas manqué de courage, elle a néanmoins reproduit rapidement un modèle de pouvoir qui n'a rien à envier à l'État colonial. Auréolés du sacre des héros, nimbés du culte des martyrs, ses représentants ont prétendu faire le bonheur de leurs peuples à leur guise, et fini pour la plupart par concocter aveuglément les recettes du désastre. Mais sa mise en œuvre est échue à une clique de criminels d'État qui leur ont succédé de gré ou de force. Ils se distinguent souvent par une combinaison de traits infâmes : inculture, corruption, tyrannie et cruauté, qui ont alimenté une monstrueuse machine de jouissance du pouvoir associant répression des appareils de sécurité, accaparement clanique des institutions et rançonnage féroce des ressources. La traînée de leurs exactions s'étend presque sans interruption du Maroc à l'Indonésie : massacres et meurtres, tortures et claustrations, disparitions et bannissements, vengeances archaïques et humiliations, voire, dans certains cas, crimes de guerre et génocides.

Avec application, ces gouvernants ont réduit à néant l'horizon entrevu au XIX$^e$ siècle, quand l'éveil au monde et le désir de libération avaient pris la forme d'une promesse de renaissance portée par les mouvements progressistes. À la fin des années soixante, les familles rentières du pétrole ont compris le danger que ces mouvements représentaient pour leur existence. Profitant de la guerre froide ainsi que des erreurs et des illusions du progressisme, ils ont irrigué de leur fortune facilement acquise les semences de l'« islamisme », qui sont parvenues à occuper tout l'espace public, au-delà même de leurs prévisions. Toutes les alternatives éclairées par les droits humains et démocratiques ont été affaiblies, réduites au silence ou décimées par l'action conjuguée et parfois complice d'une double terreur : celle des gouvernements et celle des mouvements islamistes, lesquels voyaient partout des agents d'occidentalisation des musulmans. Issues d'une secte qui prône un puritanisme rigoriste (le wahhabisme), qui répudie les étincelles de joie, les pétrofamilles ont diffusé à travers les mouvements qu'elles ont engendrés une conception littérale de la religion, la hantise d'un dieu obscur réclamant sacrifice et purification dans tous les recoins de l'existence humaine, réputée foncièrement impure. Elles ont dressé la vitre cloaque derrière laquelle une partie de la jeunesse n'a plus que des yeux irrités pour regarder le monde d'ici-bas. Elles ont inversé le sens de la promesse progressiste : l'espoir n'est plus tourné vers le futur, mais vers un passé injustement passé, auquel il faut revenir. *Ces puritains d'Arabie ont dévoré l'avenir.*

C'est ainsi que nous avons assisté à la sélection des souches d'enragés les plus virulentes, celles qui recourent à l'intoxication religieuse sans limites, à l'enivrement haineux, au romantisme sacrificiel, celles qui commettent des actes de destruction et d'autodestruction allant au-delà du meurtre. Dans ce qui nous fut rapporté des tueries qui ont eu lieu en Algérie, il ne s'agit pas seulement du massacre de populations civiles, mais, bien pis, de supplices qui témoignent d'une jouissance de détruire des êtres, où cruauté et sexualité s'entremêlent inextricablement. Ce sont des scènes relatées par des survivants, durant lesquelles les prétendus résistants islamistes ont infligé des souffrances insoutenables à des enfants, des femmes, des hommes, pour jouir d'un pouvoir illimité sur eux, jusqu'à les réduire en morceaux de chair étales, comme s'ils avaient voulu faire régner la nuit d'un dieu du néant et ramener à l'état de choses les créatures — lesquelles ne peuvent être que de faux musulmans, ou leurs semblants trompeurs, pis encore que des non-musulmans. Mais le supplice des moines de Tibérine [1] montre que peu importe pour eux l'office et les syllabes, toute gorge est à écarteler, toute chair bonne à éclater. Il faut se demander ici, comme ailleurs, comment une civilisation peut nourrir de tels démons exterminateurs. La barbarie ne saurait être accidentelle.

Jetées dans la misère des amoncellements urbains, les masses de déshérités n'ont trouvé que cette macération d'idéaux prétendant à un accomplissement de l'islam ancestral (salaf[2]), donné depuis une normativité originaire, pure, authentique, appelée à remplir la totalité du présent [3]. L'avenir n'est plus qu'un passé indéfiniment étiré et projeté en avant. L'unique mot d'ordre est : « Sois ce que tes ancêtres

---

1. Au printemps 1996, sept moines de Tibérine en Algérie ont été assassinés par décapitation, avec dix-neuf Algériens de la même région.

2. Le terme salaf désigne le « pieux ancêtre », et c'est à partir de lui qu'a été forgée l'appellation de salafisme pour désigner les mouvements qui prônent le retour à l'islam du temps du Prophète et de ses compagnons, et contourner la tradition religieuse corrompue, à leurs yeux, par l'histoire contemporaine.

3. Si cette idéologie trouve l'ampleur de sa résonance auprès des masses de déshérités, il faut néanmoins souligner que ses promoteurs appartiennent souvent à la bourgeoisie, voire à la classe aisée. Il est à noter également que les dirigeants des mouvements islamistes ont souvent fait des études supérieures dans les domaines techniques et scientifiques.

étaient ! » Il s'agit bien d'une idéologie destinale et
totale qui promet d'étancher une terrible soif de pléni-
tude, au moment où la désillusion d'un modernisme
inculte atteint les racines de l'existence. J'entends par
« modernisme inculte » la transformation technique et
économique d'un espace de vie, sans les moyens de
rendre intelligible le réel de cette transformation, de
sorte que les humains qui l'habitent deviennent anal-
phabètes de leur monde et le subissent comme un
tourbillon d'absurdité. Il ne reste plus alors qu'à en
juguler le non-sens par la police de l'identité [1].

Cette idéologie procède d'un noyau dogmatique
ancien, tissé de représentations terminales, qui fait de
la dernière révélation monothéiste le scellement
(*khatm*) littéral de l'histoire spirituelle de l'*un*. Son acti-
vation contemporaine n'a d'autres ressorts que l'épuise-
ment des forces interprétatives qui en déjouaient
naguère les effets de clôture et la *privation politique*

---

1. Exemple : sans aller chercher ce mécanisme chez les « islamistes », il suffit de rappeler que les ministres arabes de la
Culture se sont réunis, il y a cinq ans, lors d'une conférence qui
eut pour thème « La sécurité culturelle », alors que le monde
arabe, après une belle tradition de traduction, a traduit au cours
des cinq derniers siècles à peine autant de livres que l'Espagne
en cinquante ans, selon un rapport du PNUD (Programme des
Nations unies pour le développement) sur l'état de la culture et
de l'instruction dans le monde arabe en 2002 (http://www.bladi.
net/modules/newbb/sujet-11724-1-rapport-pnud-monde-arabe).

*actuelle* [1]. Les différences entre les groupes qui portent cet utopisme ne sont que des variations d'intensité hallucinatoire glissant sur une même échelle, celle de la volonté d'achèvement du sens et de l'identité assouvie. Au milieu de tant de situations d'injustice et d'indignité, l'offre d'un accomplissement anticipé à travers des noces avec la mort peut trouver preneurs. C'est ainsi que, par le mépris de soi et de sa vie, l'opprimé désespéré se place sur le même terrain que son oppresseur. Il se détruit pour détruire, il détruit pour qu'on le détruise.

Cet engrenage ne résulte, encore une fois, ni d'une fatalité ni de manipulations fortuites, mais de méfaits organisés par les gouvernants des États dits « musulmans », qu'il s'agisse de monarchies féodales ou de pseudo-républiques. Ils n'ont en lieu et place d'État qu'une machine à produire terreur et plaisirs. À l'abri des souverainetés nationales, souvent réduites aux acquêts domestiques, ils ont trouvé l'immunité blanchissant le crime. Ils ont accompli un immense travail de dévastation dont la cruauté se mesure à ce résultat : *l'absurdité du devenir pour une jeunesse jaillissante.* Et le pire est là : la vie florissante n'a plus

---

1. Par privation politique, j'entends le fait que quelques hommes excluent le plus grand nombre du droit de participer à la conduite de la vie commune, de sorte que s'installe une grave carence qui affecte leur dignité.

que la vie épuisée à quoi s'identifier, celle des scéna-
rios du passé appauvri.

Il s'agit donc d'une immense dilapidation qui a
amenuisé pour un grand nombre le sentiment *actuel* de
l'existence. Celui qui est sans présent dans son monde
n'a que la fuite : ou bien l'immigration, ou bien l'au-
delà, ou encore un mixte de rancune et d'expiation. Que
les puissants États démocratiques participent à cette
dilapidation n'est que trop évident, et ce depuis fort
longtemps. Leurs gouvernants jurent d'une main démo-
crate quand, de toutes leurs forces, ils collaborent à
l'entreprise d'assujettissement organisée par les tyrans
vassalisés. Parjures à leurs propres valeurs, ils n'ont
jamais rompu avec leurs trois grandes passions entremêlées : le mépris, la commisération, l'exploitation.
Pour eux, le droit et la démocratie demeurent à usage
endogame. La vieille antienne coloniale n'est-elle pas
encore d'actualité : « Mangez d'abord, avant de songer
à être libres », « Aimez vos tutelles, en attendant d'être
mûrs » ? Aux parjures comme aux vassaux, le retour de
flamme du terrorisme dont ils ont nourri les germes
n'apprend rien. Le sordide manège poursuit son tour-
noiement. L'atroce se légitime à nouveau par l'éradication de ce qu'il a lui-même engendré. La lutte contre
le terrorisme s'autorise tout : humiliation, incarcération
arbitraire, torture, meurtres en masse. Guantánamo
n'en est que la citadelle la plus connue.

Pris en tenaille entre les mouvements religieux
totalitaires, les États despotiques et les arrangements des

gouvernements démocratiques, les *chercheurs de liberté*
du monde musulman ne trouvent même pas sur leur chemin les intellectuels européens et américains qui avaient
prodigué, il y a peu de temps encore, leur soutien aux dis-
sidents contre les systèmes totalitaires de l'Est. Au cœur
même des espaces de la social-démocratie, d'étranges
connivences ont été nouées avec leurs ennemis. Par
clientélisme électoral, par volonté caricaturale de la
représentation, les États, comme nombre de collectivités,
n'hésitent pas à conférer aux prédicateurs moyens et res-
pectabilité. Ici, les mètres carrés de salles de prière
deviennent la mesure de la démocratie cultuelle, dont les
élus sont érigés en représentants des musulmans en
France, quand bien même une petite minorité d'entre eux
est pratiquante [1] ; là, ce sont les associations ethno-
religieuses qui reçoivent subsides au titre de la culture
municipale ou, mieux encore, des centres de soins eth-
nopsychiatriques auxquels l'administration confie la réé-
ducation des enfants de migrants ; quant aux grands
médias, leur hospitalité à l'égard des allumés coraniques
est large et inconditionnelle. Le *circus islamicus* ouvre ses
portes à la moindre occasion et parfois pour longtemps :
s'y ébattent les clowns du dieu furieux, les jongleurs
théoscientistes, les escamoteurs de jeunes filles nubiles,

---

1. En France, le nombre d'électeurs du Conseil français du culte
musulman (CFCM) est calculé au prorata des mètres carrés de
salles de prière dont disposent les différents groupes. Plusieurs
études estiment que les musulmans pratiquants en France ne
dépassent pas 15 % de la population.

les bateleurs du moratoire pour la lapidation des femmes,
les cracheurs de feu sacré, sans oublier les trapézistes du
verset avec filet démocratique. Invisibles et inaudibles,
les démocrates et les laïques du monde musulman ne portent ni barbe ni voile, ne vocifèrent pas assez, ne montrent
pas les griffes divines, bref, ne sont pas suffisamment
fauves pour l'arène médiatique. Lorsque la rencontre
entre le mot « liberté » et le mot « Islam » est organisée,
faut-il donc que le mot « honneur » n'ait plus cours ?

Cependant, les jours de ce mur de l'aveuglement sont comptés. Car ce qui s'ébranle depuis un
certain temps, ce sont les frontières géopolitiques, les
bornes des valeurs, la démarcation des périmètres
humains. D'où la formation d'innombrables paradoxes
faits de menaces et de chances, de menace dans la
chance. Toutes les crises actuelles nous montrent que
les lisières politiques, juridiques, économiques et
culturelles relatives à l'extérieur et à l'intérieur, à l'ici
et l'ailleurs, ne sont plus tenables. Il en résulte cette
mêlée de références et de souverainetés qui se coupent
mutuellement – ce dont témoignent l'affaire Rushdie
ou celle du voile en France. La rencontre de différents
régimes d'historicité en un même lieu a ouvert l'âge
de l'hétérochronie et de l'hétérotopie généralisées.
Étrange simultanéité dyschronique[1] des personnes,

---

1. La notion de dyschronie a été proposée par Nadia Tazi, lors
d'une conversation avec l'auteur : elle désignerait le fait que des
temporalités différentes, voire contradictoires, coexistent en une

de leurs corps et de leurs croyances, qui se repoussent et s'ajointent dans un même territoire. Ce sont d'invraisemblables collages de textes et d'emblèmes, de lambeaux de normes, d'oripeaux de vérités déchirées, dont témoignent les vivants dans les espaces urbains. Bref, ce défi à la maîtrise politique des bords est notre quotidien.

De cette situation surgissent de multiples menaces. La plus patente est la convergence entre plusieurs formes de nihilisme : le technicisme, la religiosité archaïque et le fétichisme financier œuvrent partout à la désintégration des articulations symboliques et langagières. La revendication vengeresse des identités avec leurs potentialités génocidaires n'est pas des moindres, d'autant qu'elle signe la dissolution du politique dans l'esprit de corps [1]. Elle est déjà dans les faits, la domination sauvage par des conglomérats transnationaux qui monopolisent le capital, l'information, le médicament... Le contrôle numérique organise de nouveaux partages, des seuils, des exclusions. Et puisqu'il n'y a plus de fronts stables, toutes les alliances semblent permises ! La réorganisation mondiale du capitalisme, conjointement avec les dévelop-

_____

même personne ou entre plusieurs personnes partageant le même lieu au même moment.

1. « L'esprit de corps », c'est ainsi que l'on pourrait traduire le concept de 'asabiya de l'historien Ibn Khaldoun (XIVᵉ siècle). On pourrait dire que faire « corps commun » est exactement le contraire de l'être-ensemble politique.

pements de la technique, n'est pas séparable, encore
une fois, d'un dérèglement de l'univers de la représentation. Celui-ci affecte particulièrement les ensembles
humains dans lesquels les anciens modèles d'identification n'ont pas fait l'objet d'un travail d'intelligibilité
et de rationalité politiques. Or les troubles de l'identité constituent la plus grave menace sur les solida-
rités entre les générations, les peuples et les
civilisations, comme si l'injustice économique, l'inégalité des droits, l'arraisonnement des ressources se
cristallisaient en dernière instance dans les représentations de soi et de « nous », lesquelles deviennent
cruellement informes et sont aspirées de ce fait vers
une régression à des formes archaïques pour résister
à ce qui les menace. Aussi, la demande que soit faite
justice à une égalité de tous les hommes, l'exigence
du *droit d'avoir des droits*, l'appel à une démocratie à
venir ne peuvent être dissociés de l'immense travail
sur leur culture que les musulmans sont appelés à
mettre en œuvre. C'est pourquoi, de même que l'Europe n'est pas la seule affaire des Européens, l'Islam
n'est pas la chose exclusive des musulmans.

Participer pleinement à cette promesse, en
liaison avec d'autres mouvements dans le monde, est
notre tâche. Elle nous conduit à investir quelques
lignes ou foyers d'*insoumission* et de *résistance*, mais
aussi de *recherche* et d'*expérience,* sans établir entre
eux une quelconque hiérarchie. Nous ne pensons pas
qu'il faille offrir un point de vue général, qu'il soit

possible d'accéder à une connaissance complète et
définitive des problèmes et des solutions. Ce sont les
expériences théoriques et pratiques d'insoumission
que nous ferons les uns et les autres, dans des lieux
déterminés ou à travers des segments particuliers de
convergences hégémoniques (informatique, biologie et
police, par exemple), qui nous permettront d'élaborer
de nouvelles problématiques et d'entrevoir des fran-
chissements possibles. C'est donc un patient travail
sur nos limites comme *sujets* d'un savoir qui donnera
forme à notre impatience de liberté en vue d'une *libération* et non d'un idéal mythique. Nous ne répon-
drons pas à l'utopie islamiste par une contre-utopie
en miroir. L'*insoumission* vise des processus de subjectivation politique localisés, afin de déjouer les
effets d'expropriation déréalisants, tels ceux produits
par les techniques du virtuel et de l'image lorsqu'elles
sont érigées en un monde et appauvrissent le rapport
au monde.

   • Première ligne ou lieu d'insoumission : *l'Islam n'est pas seulement le nom d'une religion, mais
aussi celui d'une civilisation constituée d'une multiplicité de cultures, d'une diversité humaine irréductible.*
   Les États vassalisés, tout autant que les frères
de l'accomplissement [1], concourent à l'homogénéisa-

---

1. Nous appelons ainsi ceux qui se croient issus de la même
matrice anhistorique où la fin rejoint le commencement islamique.

tion de l'Islam et à sa réduction à un fait religieux originaire, univoque et évident. De là partent des machineries qui visent à réduire la position du sujet de la parole à celle du *soumis* à cette évidence. De l'ancêtre à l'État actuel, en passant par toute une délégation de maîtres et de seigneurs, c'est la même *soumission originaire* qui est requise en tant qu'essence ou état de nature. De ce point de vue, l'« islamisme » des groupes ou des institutions d'aujourd'hui est une *islamessence*, ou obéissance à l'essence religieuse, c'est-à-dire soumission à la religion de la soumission.

Que le mot « musulman » en soit venu, en dépit de sa polysémie, à désigner exclusivement le « soumis » n'est pas étranger à la terreur. Car la terreur commence quand *le nom* se confond avec la nature ou avec l'essence. Elle se fonde sur une théorie inscrite dans la tradition et reprise par le mouvement salafiste, qui veut que l'« islam » soit « la » religion de la nature (*fitra* [1]), de sorte que tout homme naît musulman, et demeure ou dégénère en d'autres confessions à moins de retourner à sa nature par conversion. « Le » musulman serait ainsi naturellement musulman. Certes, la naturalisation des faits de culture n'est pas l'apanage de cette seule dogmatique, mais ce trait additionné à d'autres, tels que l'islam comme religion de l'origine abrahamique et sa clôture,

---

1. Le terme *fitra* désigne la création première et naturelle de Dieu.

l'arabe en tant que *la* langue de Dieu, le Coran comme texte incréé, l'*umma* ou communauté des croyants, supposée être la meilleure des nations, etc., font système. Celui d'une totalisation homogénéisant le langage, la norme, le politique avec l'essence du vivant, sous le primat de la religion de la soumission.

Si cette construction a été tant de fois défaite par les forces spirituelles internes lorsqu'elles étaient suffisamment denses, elle ne cesse néanmoins de se refaire et aujourd'hui plus encore à travers une folle croyance. Croyance d'autant plus exaspérée que tout concourt dans le monde d'aujourd'hui à disloquer sa présomption totalisante. C'est cette dislocation qui conduit ses adeptes à en recoller furieusement le mythe en miettes, à en revêtir les loques, à s'idéaliser dans la laideur par refus du deuil. La destruction de la culture au profit d'une religiosité étendue à toute la vie est le dernier recours de cette ferveur inconsolée des prédicateurs. Elle coïncide avec la privation politique menée par les États, dans la mesure où le lieu de la culture est la vie publique, le monde commun où habite le peuple.

Aussi soutenons-nous que ce nom, « Islam », désigne un espace et une région constellés de lieux, de cultures, de langues, de peuples qui n'ont jamais effacé leurs multiples généalogies symboliques derrière l'institution religieuse. Nous affirmons que dans ce paysage composite la présence immémoriale de non-musulmans est partie prenante de sa mémoire et des œuvres qui ont marqué sa civilisation. Distinguer l'Islam, comme civilisation, de la religion islamique (*dîn* [1] en arabe, et en français, *stricto sensu*, l'islamisme [2]) n'est pas seulement une question de vocabulaire mais de survie pour la civilisation ; sans quoi nous accepterions la disparition des littératures, des philosophies, des arts, des architectures, des savoirs de la langue qui furent toujours en excès ou en défaut par rapport à la religion dogmatique. Il est vrai que, devenus patrimoine, ces trésors se sont dérobés, car ils ont cessé d'être recherchés dans l'insatisfaction ou hérités par la réinvention. Les enlever aux archives de l'éternité et de la réminiscence malheureuse, c'est se libérer de l'*authenticité mythique* pour construire une mémoire selon l'histoire, à travers laquelle le sujet s'expose à sa propre possibilité, ici et maintenant.

Engager le travail historique de la culture est donc un procès incontournable [3]. D'abord, en affirmant

---

1. Le terme *dîn*, en arabe, qui signifie la « dette » ou la « créance », est ce par quoi le Coran désigne l'équivalent ou l'approchant de ce qu'on appelle dans le christianisme « religion ». Mais en toute rigueur, les notions de dette et de créance ne relèvent pas de la même logique que celle de religion. J'ai tenté de montrer ailleurs comment elles structurent autrement l'univers symbolique et le lien social en Islam. *Cf. La Psychanalyse à l'épreuve de l'islam*, Paris, Aubier, 2002 (rééd. Flammarion, coll. « Champs », 2004).

2. Le terme « islam » est mentionné seulement six fois dans le Coran.

3. La langue arabe ne dispose pas aujourd'hui encore d'un dictionnaire historique. Et ce n'est pas à défaut d'académies et de

que ce qui arrive à l'Islam n'est pas une crise, mais une
*césure* qui a défait leur valeur d'éternité aux supposés
fondements, accomplissements, fins et commencements.
Le réel et la tradition ayant divorcé, le passé n'éclairant
plus l'avenir, il n'y eut que de vieilles planches pour
traverser les temps. À hauteur de cet enjeu, on
comprend que les colmatages réformistes du siècle dernier n'aient pas tenu. La révolution de l'interprète
moderne n'a pas eu lieu. Reconnaissons à l'Organisation
de la conférence islamique [1] des États contre-modernes
le seul monument qu'elle ait jamais réalisé : fabriquer

----

linguistes. C'est à dessein que l'univers de la langue est main-
tenu dans la brume du non-historique.
1. L'Organisation de la conférence islamique a été créée en
1969 et regroupe 57 États qui se réfèrent à la religion islamique.
Elle a publié une *Déclaration des droits de l'homme en islam*, qui
se fonde sur la loi théologique de l'islam (*chari'a*), c'est-à-dire
qui perpétue, entre autres clauses infâmes, l'inégalité en droit
entre les hommes et les femmes. Elle indique dans son préam-
bule que l'islam est la religion naturelle (*fitra*), autrement dit,
que tout homme naît musulman, mais devient juif, chrétien, etc.
Alors que l'on ne vienne pas nous raconter des histoires sur
l'islam supposé modéré et modérateur des États, il est lui-même
l'un des pourvoyeurs de l'islamisme. Quant à la Ligue du monde
musulman, créée en 1962, elle regroupe des théologiens qui pré-
tendent incarner un magistère théologique pour tous les musulmans. Son secrétaire général a publié une déclaration dans
laquelle il affirme que « la démocratie et le pluralisme sont des
notions occidentales, qu'il faut refuser théoriquement et pratiquement ». Le siège de cette ligue des antidémocrates est à La
Mecque, son financement est assuré par l'Arabie Saoudite.

de l'ignorance avec l'argent et le sacré [1]. Il convient dès lors de remarquer que les appels à un dépassement n'ont aucune chance d'aboutir, s'ils ne prennent pas acte du désastre, s'ils ne cessent d'assigner le devenir au passé, en un mot s'ils refusent de se tenir dans la césure du temps, qui est notre lieu : entre *ce qui n'est plus* et *ce qui n'est pas encore*, tel est l'espace d'une expérience diagonale de la culture, en mesure d'assumer le présent et d'entrevoir l'inespéré.

*Sortir de la soumission à la religion de la soumission*, c'est à ce prix seulement que les noms « Islam » et « musulman » peuvent regagner leur valeur nominative dans l'histoire. Qu'est-ce que la valeur nominative d'un nom ? Le nom n'est ni la chose ni la matière mise en forme, car ce serait alors l'immobilisation dans l'être-pour-la-soumission, « être » marqué et déposé, marque déposée d'un chef, d'un dieu, du « nom-seul d'un » [2], ainsi que la petite théologie identitaire de l'« islamisme » le propage.

Rappelons que les mots « islam » ou « musulman » proviennent de la racine *slm :* trois consonnes qui forment la source d'une arborescence (ou « arbre du

---

1. *Cf.* le rapport accablant du PNUD sur l'état de la culture et de l'instruction dans le monde arabe en 2002 précédemment cité.
2. Selon l'expression d'Étienne de La Boétie (1530-1563) dans le *Discours de la servitude volontaire*, Paris, Flammarion, 1993. Moustapha Safouan a donné une belle traduction en arabe de ce texte ; voir également de cet auteur en arabe : *L'Écriture et le Pouvoir*, Beyrouth, Éditions de psychologie clinique, 2001.

sens », comme dit Valéry) donnant des ramifications de termes tels que : « sauver », « guérir », « saluer », « faire la paix », « accueillir », « se réconcilier » et même « donner un baiser ». Que les prédicateurs aient réduit les signifiants au sens unique de la soumission relève bien d'un acte de destruction de l'arborescence du langage, pour exalter l'identification à la servitude et promouvoir les affects de l'humiliation plutôt que l'humilité. Comme le radical *slm* l'indique, l'engramme du nom est imprononçable. Plutôt qu'un sens, il présuppose une potentialité de désinences et de déclinaisons, une orientation à entente multiple vers le sauf et l'indemne, le salut et la santé, le saint et l'immune, qu'on trouve dans tant de langues (*Heil*, *Heilig* en allemand, et *holy* en anglais, par exemple). C'est dans la mesure où il est une forme vide, où rien n'est posé que la mémoire d'une hospitalité inconditionnelle de la vie, qu'un nom représente un sujet ou un ensemble de sujets.

Mais ne faut-il pas interroger aussi le destin d'un nom dans l'histoire européenne, l'effet d'injure auquel certains d'entre eux ont été réduits ; par exemple, le fait que dans les camps d'extermination « musulman » en est venu à désigner celui qui se soumet au bourreau et perd toute étincelle d'humanité[1] ?

---

1. Nous renvoyons ici aux nombreux témoignages sur les camps d'extermination, tels que celui de Primo Levi. Voir à ce sujet Fethi Benslama, « La représentation et l'impossible », *in* Jean-Luc Nancy (dir.), *L'Art et la Mémoire des camps. Représenter, exterminer*, Paris, Seuil, 2001, p. 59-80. Ainsi que sur le site du *Manifeste* : http://www.manifeste.org/.

Face à la terreur du nom et à la hantise de sa trahison que l'idéologie islamiste diffuse dans la jeunesse, il s'agit ici de reprendre le travail de *l'écart entre le nom et l'essence*, celui-là même qui fut à l'œuvre chez les penseurs de la liberté dans la civilisation islamique (Avicenne, Averroès, Ibn Arabî, etc.) ou celle des Lumières européennes, puisque tel est l'un des sens du travail de la culture. Ainsi, en plein Moyen Âge, Ibn Arabî (XIIIᵉ siècle) fomentera au cœur du sujet théologique (*'abd*, c'est-à-dire le « serviteur de Dieu ») un sujet créateur de son créateur, d'où surgit une théorie de l'inconscient (*lâ ch'ûr*, littéralement « non-conscient »), qui non seulement ne sépare pas la psyché du corps mais désigne le site de l'infantile (*maqâm at-tifl*, exactement, le « lieu de l'enfant ») comme le lieu de l'inconscient. Bien plus, sa théorie de l'animal comme père de l'humanité le mettra sur la piste d'un père primitif dont le meurtre est requis, à l'instar du père œdipien de Freud ou de celui de *Totem et Tabou*, puisque Ibn Arabî interprétera le désir d'Abraham de sacrifier son fils comme un fantasme (*wham*) non interprété, qui vise en vérité le sacrifice de soi en tant que père voulant garder l'essence de la paternité ou la paternité absolue, c'est-à-dire l'animal, représenté dans la réalité par le bélier. C'est pourquoi le sacrifice de l'animal dégage le père de l'essence pour le faire advenir à « l'odeur de l'existence [1] ».

---

1. *Cf.* Fethi Benslama, « D'un renoncement au père », *Topique*, nº 85, 2004, p. 139-147.

Cependant, le message d'Ibn Arabî à tous les sacrifica-
teurs est très clair : le sacrifice résulte d'une interprétation fautive du fantasme ou qui a manqué sa cible, à
savoir la transformation spirituelle que doit viser tout
homme pour advenir à l'humanité par le verbe, car
l'homme n'est pas conscient de sa forme spirituelle, pas
plus que de ses transformations nécessaires [1].

　　Toute la construction d'Ibn Arabî prend son
élan du fameux hadîth selon lequel Dieu dit : « J'étais
un trésor caché et j'ai aimé être connu. Alors, j'ai
créé les créatures afin d'être connu par elles. » La
déduction qu'il en fait est que l'altérité de l'autre en
tant que tout Autre (*âkhar*) suppose le désir de se
révéler et d'être connu par l'autre (*ghayr*) à travers
l'infinité de ses noms. Aussi Ibn Arabî soutiendra-t-il,
tout au long de son œuvre, que la créature est créatrice de son créateur. Si l'homme est une création
divine, le divin est une création de l'homme. *Ledieu*
(c'est ce que signifie « Allah », qui désigne le défaut
de nom [2]) est créé partout, dans toutes les croyances.

---

1. Ibn Arabî écrira donc : « Car Dieu n'est jamais inconscient
(*bi lâ Chu'ur*) de rien, tandis que le sujet est nécessairement
inconscient de telle chose en rapport avec telle autre. »
2. C'est ce qui a fait écrire à Joseph Chelhod : « Si les juifs ont
fini par donner à leur dieu suprême un nom qui n'en est pas un
(*Yahwé*, celui qui est), les Arabes ont laissé le leur pratiquement
sans nom. Allah ne serait en effet qu'une contraction d'*al-ilah*,
le dieu » (*Les Structures du sacré chez les Arabes*, Paris, Maison-
neuve et Larose, 1964, p. 7).

L'infini de ses noms se manifeste donc à travers les
diverses croyances que l'humanité, dans sa pluralité,
met en œuvre. C'est pourquoi Ibn Arabî dira : « Sois
donc en ton âme comme une matière pour toutes les
formes de toutes les croyances. » C'est ce qu'il repren-
dra dans son fameux poème du *Désir ardent* [1] :

> Mon cœur devient capable de toute image :
> Il est prairie pour les gazelles, couvent pour les moines,
> Temple pour les idoles, Mecque pour les pèlerins,
> Tablette de la Torah et livre du Coran.
> Je suis la religion de l'amour, partout où se dirigent ses
> [montures,
> L'amour est ma religion et ma foi.

Telle est donc la dessentialisation du nom
« musulman » à laquelle parvient Ibn Arabî, à partir
d'une pensée du désir comme désir créateur d'exis-
tences au sein de l'existence singulière.

Ouvrir des espaces pour la reconnaissance des
mouvements de l'existence et de la singularité déposi-
taire d'un savoir et d'une intelligibilité, telle est la
tâche qui nous incombe. Elle fera émerger d'innombrables figures de *musulmans insoumis* à la religion

---

1. Ibn Arabî, *Le Chant de l'ardent désir*, choix de poèmes tra-
duits de l'arabe et présentés par Sami Ali, Paris, Sindbad, 1989.
Pour en savoir plus sur Ibn Arabî, lire *L'Imagination créatrice
dans le soufisme d'Ibn Arabî*, de Henry Corbin, Paris, Flammarion, 1958.

de la soumission. Elle favorisera l'évidement de l'*isla-messence* et la restitution de l'équivoque du nom. La défaite d'une culture morbide de l'identité à son comble ne peut se réaliser que par l'élaboration d'une culture de l'existence désirante et de l'être dans la joie, même si nous sommes avertis de ce qu'il y a de difficile, de douloureux, voire de tragique dans chaque devenir.

• Deuxième ligne ou lieu d'insoumission : *l'oppression des femmes ne dégrade pas seulement « la femme », mais organise dans l'ensemble de la société l'inégalité, la haine de l'altérité, la violence, ordonnées par le pouvoir mâle.*

Si la logique du patriarcat gouverne l'Islam à l'instar d'autres civilisations, elle revêt néanmoins, dans son système, des caractéristiques qui la rendent plus virulente, plus cruelle, plus difficile à ébranler. L'exclusion légalisée, l'inégalité instituée, le ravalement légitimé des femmes par la loi théologique sont des faits patents. La discrimination trouve en effet ses sources dans le texte coranique et dans les hadîths [1]

---

1. Quelques exemples parmi mille autres : la femme est considérée par un hadîth comme un être qui « manque de raison et de religion », un genre « dont la tromperie est immense » (Coran, XII, 28). « Jamais le peuple qui confie ses affaires à une femme ne connaîtra le succès » (hadîth). « Les hommes ont autorité sur les femmes du fait qu'Allah a préféré certains d'entre vous à certains autres, et du fait que [les hommes] font dépense sur leurs biens [en faveur de leurs femmes]. [...] Celles dont vous

(paroles attribuées au Prophète). Mais, plus spécifiquement, la fondation de la lignée symbolique de l'Islam s'effectue par l'effacement de la figure féminine
qui l'a initiée [1] et par une succession d'épisodes qui
négative le rapport des femmes à la loi, à la raison, à
la société. Toute une géographie imaginaire a dressé
la carte de ses capacités maléfiques de séduction et
de sédition, de ses savoirs autant que de ses pouvoirs
occultes. Leurs effets dans la réalité peuvent être saisis par l'axiome qui subjugue la subjectivité mâle :
*jouir des femmes et haïr leur désir.*

Plus près de nous, à quelques exceptions près,
les dirigeants des mouvements nationaux contre le
colonialisme ont considéré au mieux que, si l'émancipation des femmes devait advenir un jour, ce ne serait
qu'après d'autres priorités. L'État postcolonial a perpétué le régime de tutelle et de mineure politique et
sociale qui leur était assigné par la religion. Même si
la condition moderne a subverti dans les faits l'application des normes ici et là, les chicanes autour de

---

craignez l'indocilité, admonestez-les ! Reléguez-les dans les
lieux où elles couchent ! Frappez-les ! Si elles vous obéissent,
ne cherchez plus contre elles de voie [de contrainte] ! » (Coran,
VI, 34).
1. C'est-à-dire l'absence dans le texte coranique de la figure
d'Agar, épouse répudiée d'Abraham, mère d'Ismaël, donc ancêtre
des Arabes, alors que sa rivale Sarah y figure et est bénie.
*Cf.* Fethi Benslama, *La Psychanalyse à l'épreuve de l'islam,*
*op. cit.*, chapitre II, « La répudiation originaire », p. 115.

la subordination sont innombrables, y compris chez certains groupes féministes. L'islamisme radical a trouvé à travers « le voile » le moyen retors de faire revenir la honte du corps féminin dans l'espace public et d'y inclure son exclusion du champ des signes du désir. Car, contrairement à ce que toute la querelle sur le voile a laissé accréditer, aussi bien chez ses partisans que chez ses détracteurs, le voile n'est pas un *signe*, mais ce qui doit occulter les signes maléfiques dont le corps de la femme est porteur en tant que tel. Maléfique, parce qu'il incarne la perversion diabolique [1], parce qu'il est porteur de séduction et de sédition (*fitna*) pour les hommes, parce qu'il est dans sa totalité impudique ou obscène, et de ce fait déclaré tabou dans son intégralité (*'awra*). Bref, le voile est l'antisigne ostentatoire de la femme perçue comme un « mal nécessaire [2] ».

Cette condition est sous-tendue par une conception de la différence des sexes, naturalisée et fixée dans un déterminisme biologique faisant de la relation binaire homme/femme et de l'hétérosexualité l'étalon des rapports sociaux. Cette organisation binaire est le lieu de la prise de pouvoir sur le corps des femmes, au titre d'une inégalité physique foncière et d'un partage ancien conférant à celle-ci la procréa-

---

1. « Les regards jetés sur les atours féminins sont des flèches de Satan », selon l'imam Alî, gendre et successeur du Prophète.
2. Encore une parole de l'imam Alî.

tion, tandis qu'au mâle revient la création et la garde de l'arche ou de l'origine du symbolique. Le père n'est chef de famille qu'en vertu de cette disposition qui perpétue la confusion des fonctions du père géniteur, du père symbolique et du maître. Le système *patriarchique* qui subordonne les femmes soumet, d'un seul tenant, tout l'espace de vie à la domesticité, et l'espace politique à l'instance virile du sexe [1]. La police de la sexualité naturalisée sous-tend ainsi une large partie de l'organisation économique, politique et subjective.

C'est pourquoi l'égalité doit commencer par la démocratisation des rapports sociaux sexués, au centre desquels l'émancipation des femmes s'articule étroitement avec l'affranchissement de la confusion entre sexe biologique et norme sociale de la sexualité [2]. Préconiser des demi-mesures et des réformes de transition ne fera que prolonger l'agonie du patriarcat et la psychopathologie politique qui en est la conséquence dans les sociétés islamiques actuelles.

Car la dichotomie des identités sexuelles, fondée sur la différence naturelle, est le pourvoyeur primaire des idéologies de la pureté, lesquelles constituent le corps de la femme comme le lieu imagi-

---

1. Fethi Benslama et Nadia Tazi (dir.), *La Virilité en islam*, La Tour-d'Aigues, Éditions de l'Aube, 2004.
2. Selon l'expression de Rada Ivekovic, *Le Sexe de la nation*, Paris, Léo Scheer, 2003.

naire d'un risque d'infestation généalogique du groupe
par l'autre. D'où le statut conféré au corps de la
femme, qui ne lui appartiendrait pas mais serait la
propriété matricielle et matriciante de la communauté.
La hantise de la femme infâme se donnant à l'étranger
est donc le fantasme individuel et collectif du pouvoir
mâle dans son contrôle souverain de la vie. La vie
propre et appropriée suppose, selon ce principe, non
seulement le tabou de la virginité, mais la femme
comme tabou de la communauté. L'impératif de l'immunité et du nettoyage de l'autre est au bout de ce
complexe, où le féminin apparaît bien comme la
source d'une altérité interne menacée et menaçante.
C'est ainsi que la souveraineté despotique, à travers
ses multiples ramifications, fait du corps féminin le
lieu de sa cause, comme cause de Dieu, de la nation
ou de l'ethnie, comme noyau génétique ou *genos* dont
l'ennemi veut s'emparer. L'ennemi dans ce cas est
toujours génoparasitaire, au sens où il s'introduit et
vit au détriment de la matrice de la communauté. Il
s'agit là de l'un des *topoï* des idéologies racistes [1], dont

1. Nous retrouvons le fantasme génoparasitaire à la base des
crimes commis par les extrémistes serbes au cours de la dernière
guerre en Bosnie-Herzégovine, lorsqu'ils violaient des femmes
musulmanes et les détenaient jusqu'à ce que l'état avancé de
leur grossesse les condamne à mettre au monde des enfants issus
de ces viols. L'humiliation de la violence sexuelle se double ici
de celle d'une insémination par laquelle l'ennemi s'incruste lui-
même comme étranger dans le corps propre de l'autre et dans sa
généalogie afin de la rendre impure.

l'antisémitisme a fait un motif central, à travers le thème de la femme innocente corrompue par le juif pervers. Mais l'innocence de la femme veut dire ici sa disposition à être pervertie, son ingénuité face au vice.

Ce thème, nous le retrouvons depuis une quinzaine d'années dans le basculement de l'antijudaïsme traditionnel dans le monde arabe vers des thématiques empruntées à l'antisémitisme européen contemporain. Un exemple récent l'illustre : des journaux algériens se sont fait l'écho de la thèse d'un officier supérieur, selon laquelle la réforme du statut de la femme réalisée par le roi du Maroc le fut à l'instigation de son principal conseiller, qui est juif. D'où se déduit que le « complot sioniste » a atteint la femme musulmane[1]. Mais qui peut livrer ainsi les femmes, sinon des hommes qui ont renoncé à leur virilité, des homosexuels donc, ou qui sont sous l'influence du pouvoir rampant de l'antigenre naturel ? La figure qui commande toute cette conception est celle de l'homme-étalon (*fahl*) : à savoir le mâle belliqueux, vigoureux, destiné au combat et à la reproduction, et par voie de conséquence à être le guide politique ou théologique[2]. Quoi de plus normal, donc, que ces étalons d'États qui gouvernent pour la plupart le monde

1. *Cf.* à ce sujet les textes de Wassyla Tamzali et Brigitte Allal sur le site du *Manifeste des libertés* :
http://www.manifeste.org/rubrique.php3?id_rubrique=4.
2. *Cf.* l'article remarquable de Raja Ben Slama, « Le mythe de l'étalon », *in La Virilité en islam, op. cit.*

arabe maintiennent l'ordre viril sur des peuples réduits à la condition de troupeaux ?

On comprend par là que la chaîne de la servitude et de la politique bétaillère ne peut être rompue si les femmes restent captives de cette détermination du féminin et de la pureté, verrouillées par la souveraineté despotique de l'homme-étalon. Notre réponse sera sans détour : *mettre le bazar ou le souk dans la pureté*. Nous entendons ainsi ramener au premier plan de la vie publique, de l'échange et de l'alternance au pouvoir, la question du cosmopolitisme et de la minorité, au regard du principe qui rend indissociables égalité et liberté, soit celui d'*égaliberté*[1]. La minorité ne doit pas être entendue seulement comme nombre mais comme minoration, minimisation, condition mineure, impulsant la demande et la créativité démocratiques. Si la démocratie est une mêlée (sinon elle n'est pas), c'est pour autant qu'en elle peuvent être soutenus deux mouvements de reconnaissance : celui de la dignité infiniment respectable de l'autre comme *dissemblable* et, simultanément, celui des droits légitimes de l'autre comme *semblable*. L'altérité en tant que *dissemblance du semblable* – cette équation que la psychanalyse nous aide à penser comme l'acte de

---

1. En créant ce néologisme, Étienne Balibar notifie que dans la révolution du sujet moderne il n'y a pas de liberté sans égalité et inversement (Étienne Balibar, « Sujétions et libérations », *Cahiers Intersignes*, n° 8-9, 1994, p. 79-90).

naissance de tout sujet – est le lieu où l'éthique et le
politique se rejoignent indissolublement.

C'est la même chaîne qui nourrit et exaspère
aujourd'hui les affects politiques les plus archaïques
dans le monde musulman, où la haine ne vise pas
seulement l'ennemi comme ennemi, dans une situation historique précise, mais son être, en tant qu'il
menacerait l'« être musulman » et empêcherait, d'une
manière insaisissable, sa propre existence. Ainsi, l'antijudaïsme qui existait depuis les origines de l'islam,
mais qui relève d'une autre logique que celle de l'im-
brication judéo-chrétienne – de mon point de vue,
plus accessible à la symbolisation que cette dernière [1] –, s'est transformé en une propagande antisé-

---

1. Dans le conflit entre les religions monothéistes autour de l'héritage abrahamique, alors que le judaïsme et le christianisme
procèdent généalogiquement de la même femme, ou de la même
mère (Sara) et du même fils (Isaac), la filiation arabo-islamique
est référée à l'autre femme d'Abraham, Agar, et au premier fils
du patriarche, Ismaël, renvoyé avec sa mère dans le désert. À
cette séparation entre les deux lignées, il faut ajouter que si
la procréation d'Isaac revêt un caractère surnaturel et implique
directement Dieu (Sara avait alors plus de soixante-dix ans),
Ismaël est le fruit d'une insémination proprement humaine dans
laquelle Dieu n'intervient pas. Cette deuxième séparation a des
conséquences théologiques et éthiques considérables, en ce sens
que dans la lignée Abraham-Sara-Isaac, Dieu est créateur et pro-
créateur (ce qui se répète dans la configuration : Joseph-Marie-
Jésus), alors que dans la lignée Abraham-Agar-Ismaël, Dieu est
créateur, mais demeure en dehors de la génération humaine.
C'est pourquoi l'islam refuse radicalement la métaphore d'un

mite, telle que l'Europe l'a connue avant la Seconde
Guerre mondiale. Nous savons que de puissants
médias contrôlés par des islamistes radicaux projettent sans cesse sur le conflit israélo-palestinien une
lecture religieuse des origines, avec toute la moisis-
sure rancunière qui l'accompagne : être plus originaire que l'origine, plus élu que les élus, plus
véridique que le véritable. Nous connaissons leurs
équivalents côté juif et protestant, notamment outre-
Atlantique. Mais comment défaire l'emprise des prédicateurs, avec leurs haines archaïques conjuguées au
parfait ultralibéralisme ? Comment restituer à l'héritage symbolique commun sa vérité historique ?
Qu'est-ce qui reste impensé dans le jeu monothéiste
de l'identité et de la différence en prise avec les
pathologies nationalistes ?

Les analyses de ces questions sont d'une
urgence absolue. Elles doivent être conduites en
commun par les Juifs et Arabes, Palestiniens et Israéliens démocrates, dont les identifications dépassent
celles des saintetés théonationales. À l'évidence, dans
ce conflit, l'antagonisme des sacralités entremêlées se
donne libre cours, emportant la raison politique. Il
réactualise, à travers une dégradation vertigineuse, les
plus anciens motifs du « Mourir pour la patrie [1] ». La

---

Dieu père. *Cf.* Fethi Benslama, *La Psychanalyse à l'épreuve de
l'islam, op. cit.*
1. « Mourir pour la patrie » est le titre d'un article d'Ernest H.
Kantorowicz, qui vient d'être réédité (sous la direction de Pierre

sainteté des origines, la Terre sainte terrestre et la
Sainte Terre des cieux (le paradis) constituent les
arguments les plus puissants pour ennoblir la pulsion
de mort. Le cadavre du soldat héroïque, le corps en
miettes du martyr, l'enfant disloqué au bras de sa
mère servent aussi à fabriquer de folles consécrations
au service du corps mystique de l'État national. Mais
la question des questions demeure : jusqu'où peut-on
supporter l'agonie pour la justice, sans promouvoir la
dévastation de soi-même et de son temps ?

Sur une période de cinquante-huit ans, les
gouvernements israéliens successifs ont tout fait pour
que le partage instauré par la légalité internationale
n'ait pas lieu, même si les pays arabes ont eu leur
part de responsabilité dans un premier temps[1].
L'échec des accords d'Oslo ne peut être attribué à la
violence des Palestiniens. Entre 1993 et 2000, c'est-

---

Legendre), dont les analyses montrent à quel point les racines
médiévales de ces enjeux sont actuelles (Ernest H. Kantorowicz,
*Mourir pour la patrie et autres textes*, trad. fr. de L. Mayali et A.
Schütz, Paris, Fayard, 2005).
1. Le 13 décembre 1988, les Palestiniens ont reconnu à Israël
78 % de la Palestine historique et décidé de s'en tenir aux 22 %
restants pour leur futur État. Cette décision n'était-elle pas déjà
une véritable concession pour la paix, au regard du plan de partage à égalité de l'ONU, en 1947 ? Je rappelle qu'en 1965, à
Jéricho, le président Bourguiba a demandé aux Arabes d'accepter cette décision et de reconnaître l'État d'Israël. L'un des effets
de cette déclaration fut que l'ambassade de Tunisie au Caire a
été brûlée.

à-dire jusqu'au déclenchement de la deuxième inti-
fada, il n'y a pas eu de violence de nature à expliquer
l'arrêt du processus. Cependant, au cours de cette
période, en même temps qu'on allait vers la paix, cent
deux nouvelles colonies israéliennes ont été
construites, alors que celles qui existaient déjà ont vu
leur population doubler ! On peut toujours invoquer la
responsabilité de tel ou tel homme politique, à tel
moment ou dans telle circonstance – et nous savons
combien leur mission historique peut infléchir le
cours des événements –, mais ne serait-ce pas plutôt
la logique des processus intérimaires, c'est-à-dire la
paix progressive et négociée par étape, qui est la
cause véritable du terrible échec qui a fait perdre aux
Israéliens et aux Palestiniens dix années et détruit des
centaines de vies ? Les processus intérimaires, après
plus d'un demi-siècle d'occupation, ne favorisent pas
le deuil nécessaire à la paix. Deuil des illusions nationalistes, religieuses, romantiques, héritées de part et
d'autre depuis le début du siècle dernier, et aux-
quelles les idéalistes, souvent carnivores, tiennent
plus qu'à la vie des leurs et des autres. La logique
intérimaire laisse la place à l'oscillation, à l'irrésolu-
tion, à la météorologie des climats politiques, au
double langage, bref profite à tous les extrémistes qui
haïssent les compromis, dont ils redoutent les effets
sur leur narcissisme. Seule une paix définitive et glo-
bale, sans atermoiements, comporte la chance que
chacun se résigne à ce que la guerre soit finie.

L'enjeu le plus crucial, ici, concerne les démocrates palestiniens, pris entre l'oppression de l'occupation et la lutte aveugle des mouvements islamistes, dont la logique suicidaire (de leurs enfants et de la cause palestinienne elle-même) bénéficie des sympathies de certaines élites du monde arabe et du soutien de pétrofinanciers qui s'offrent de leurs palais un sacrifice béni avec le sang des démunis. Une course de vitesse aux conséquences incalculables se déroule devant nos yeux, dans laquelle, il faut le dire, tout se ligue contre les démocrates palestiniens qui ont choisi la non-violence et l'éthique du *témoignage* plutôt que celle du *martyr*. Je rappelle que dans la langue arabe, le radical (*sh.h.d*), qui désigne l'acte d'attester, a donné le mot témoin (*shâhid*) et le mot martyr (*shahîd*), comme si le fait testimonial pouvait emprunter la voie de la parole ou celle du sacrifice. On retrouve également ce lien chez les auteurs chrétiens, pour lesquels les martyrs (*marturos*) témoignent (*testis*) de la vérité de leur foi. Mais cette potentialité sacrificielle de l'attestation de la vérité ne rend pas intelligible à elle seule le recours actuel à ce qu'on appelle les « attentats kamikazes ». Du reste, il y a débat sur ce sujet à l'intérieur du monde musulman : si certains théologiens confèrent aux auteurs de ces attentats la légitimité martyrologique et leur accordent la promesse de la félicité paradisiaque, pour d'autres il s'agit plutôt de suicidants voués à la damnation de l'enfer. Pour d'autres encore, nous assistons à l'émer-

gence d'une nouvelle catégorie, celle du « martyr sui-
cidant », qui témoigne du dérèglement actuel du
discours religieux quant au rapport entre guerre et
justice, violence et droit. Il me semble ici que l'analyse d'Ernest H. Kantorowicz dans « Mourir pour la
patrie », texte cité précédemment, est particulièrement pertinente, puisqu'elle montre comment le natio-
nalisme en Europe a pu utiliser la catégorie religieuse
du sacrifice pour l'Église et la mettre au service de
l'État national, comme si ce dernier était le substitut
laïque du corps mystique du Christ, dans lequel le
corps du martyr est appelé à se fondre ou à se subli-
mer. Cependant, il faut se demander comment à un
certain moment le « mourir pour... » peut devenir atti-
rant pour des milliers de personnes, car au-delà du
cas palestinien, les candidats aux attentats suicides
dans le monde musulman sont aujourd'hui innombrables. L'analyse de ce contexte nous conduit à tenir
plusieurs fils : certes, des situations d'injustice
durable, une force démesurée qui anoblit sa férocité
dans les idéaux humanitaires, un mépris pour l'autre,
considéré comme indigne d'être un ennemi selon les
droits de la guerre, ce sont là des faits de nature à
exaspérer la haine destructrice, mais à cela il faut
ajouter deux autres conditions internes aux pays
musulmans, et plus spécialement arabes : la situation
d'indignité dans laquelle les gouvernants maintiennent leurs sujets sur tous les plans, et face à laquelle
ne subsiste qu'une issue : le discours sacrificiel de la

religion. Il suffit de circuler quelques minutes entre les innombrables chaînes de télévision satellitaires du monde musulman pour s'apercevoir que le harcèlement permanent des prédicateurs n'offre que la mort pour restaurer tant de blessures narcissiques, et que la rhétorique du « mourir pour... » propose de recycler dans l'honneur de Dieu l'horreur de vivre. Des subjectivités prédisposées reçoivent les signes insistants de leur élection, jusqu'à la rencontre d'entremetteurs qui organiseront littéralement leurs noces avec la mort [1].

Notre approche ne s'arrête donc pas à la dénonciation du mal de l'autre, elle se refuse à participer à la course d'auto-idéalisation victimaire des communautés, et vise plutôt à créer des lieux de convergences pour le discernement et l'intelligibilité critique dans le combat mondial contre la haine des peuples, travestie en antagonismes entre cultures ou civilisations. À condition que ces convergences ne soient pas l'occasion de se faire les complices de la politique des « morceaux choisis » dans la lutte contre les ségrégations. En effet, par quelle perversité tactique en vient-on à accepter que des mouvements islamistes soient considérés comme des compagnons de route contre l'injustice et pour l'égalité quand, sur le chemin emprunté ensemble, sont affichés, à même le corps des femmes, les stigmates de leur inégalité proclamée ?

---

1. Plusieurs témoignages rapportent que la cérémonie qui précède l'attentat suicide autour du candidat est appelée « noces ».

On l'aura compris, si nous considérons que l'émancipation des femmes est le point où se resserre et d'où se déploie l'éventail des problèmes les plus cruciaux pour l'avenir démocratique du monde musulman, c'est parce que le complexe religieux qui organise les rapports d'altérité dans l'islam a, plus qu'ailleurs, verrouillé la position du genre féminin, afin d'asseoir le pouvoir mâle.

• Troisième ligne ou lieu d'insoumission : *la liberté ne peut être octroyée, mais peut être conquise à travers* des expériences de la liberté, *libératrices du sujet.*

Le monde musulman ne s'est libéré des forces extérieures du colonialisme que pour être précipité sous le joug de la tyrannie politique de l'unité et du dedans. L'accès à la souveraineté nationale – au moment où déjà le processus de la mondialisation économique la vidait de sa substance – a souvent donné lieu à un bouclage imaginaire sur soi, qui recherche la restauration identitaire dans une intériorité autosuffisante. Un processus d'auto-immunisation, réactif à la blessure coloniale, a transformé les minorités en ennemis de l'intérieur. L'émancipation a fait naufrage dans le projet d'une appropriation unifiante : *une* nation, *une* religion, *une* langue. Par culpabilité d'avoir commencé à dénuder le sens convenu, par crainte de la métamorphose, par avidité obséquieuse du pouvoir, les élites tirèrent aussitôt sur elles le voile

de l'origine islamique et récupérèrent la vieille quin-
caillerie de ses légitimations. *Elles choisirent majoritairement l'identité contre la liberté*, perdant ainsi et la
liberté et l'identité en devenir. En cela, l'islamisme
radical n'est que l'application conséquente de leur
désir d'appropriation mythique de soi. Il a suffi de lui
donner un dieu obscur.

Que la liberté ne soit pas une tâche facile pour
l'affranchi, et plus encore face à des hégémonies qui
voudraient la lui imposer comme libéralisme, n'est pas
pour nous étonner. Mais qu'en un demi-siècle d'« indépendance » l'environnement humain dans la plupart des pays musulmans n'ait fait que dresser des
obstacles à la créativité du sujet et aggraver sa sujé-
tion, voilà un constat consternant qui ne peut être
attribué aux contrariétés inhérentes à la tâche ou à la
longue période de sa réalisation. En fait, la cruauté
politique a accru son pouvoir d'amenuisement des
marges dans toutes les sphères de la société, de la
famille et des personnes. Comment un sujet exposé à
la dictature des gouvernants, à la censure des institutions, à l'omnipotence des patriarches, à la férocité de
son surmoi peut-il survivre ? Par quel miracle le désir
de liberté trouvera-t-il son chemin en lui, quand ce
laminage détruit à ses racines tout processus de subjectivation ? Comment cette désarticulation sociale
peut-elle lui donner envie de penser et de se projeter
dans l'avenir ? Nous connaissons maintenant la
réponse : seul un dieu vengeur et rémunérateur

semble pouvoir redonner une dignité à ces hommes, tandis que la peste émotionnelle du fascisme leur procure une sortie enivrée de leur condition de zombies apolitiques.

Ne pas perdre de vue la dimension défensive et symptomatique de l'islamisme de masse est ici crucial. Non seulement pour ne pas se rendre complice de l'éradication des seuls effets au détriment des causes, non seulement pour refuser l'offre de liberté comme « objet » de discours idéalistes ou, pis encore, d'une générosité armée ; mais plus radicalement pour mettre en œuvre la liberté comme action transformatrice (*praxis*) du sujet. À condition de ne pas entendre le sujet comme maître de soi et la liberté comme l'attribut d'un ego souverain. Nous savons qu'un homme privé de liberté ne rêve pas nécessairement de la trouver, mais souvent de revanche contre ceux qui l'ont et qui, ayant oublié son prix, la croient naturellement donnée. Car la liberté trouve son effectivité dans l'existence de chacun, en tant que cette existence ne lui est pas donnée par une essence préalable, mais par l'action transformatrice de son désir, en un sens proprement sien, exposé aux autres et partagé *avec* eux. Notre action politique et intellectuelle consistera donc à rendre disponibles *des espaces propres aux expériences singulières de la liberté*, à accueillir celles-ci, à les défendre, à leur donner leur portée plurielle, puisque la liberté de quelqu'un n'est possible qu'avec celle d'autrui.

Mais si la libération politique a pour corollaire des processus de subjectivation créatifs, elle n'en est pas moins nécessairement expérience dans la vie publique. À cette fin, nous nous proposons de mettre en œuvre, sous le nom d'*Université des libertés*, un dispositif d'expérimentation, de diffusion des savoirs et de mise en réseau ouvert à tous [1]. Tous les domaines de la pensée, des arts, des littératures, des philosophies, des sciences y seront reçus. Son but est de redonner sens à la liberté pour les musulmans dans le monde et avec le monde, en mettant en œuvre le sens comme libération [2].

• Quatrième ligne ou lieu d'insoumission : *ce qu'on appelle « laïcité » est la possibilité d'un surmontement du mythe identitaire de l'islamisme.*

L'Islam a connu des expériences et des théories de la liberté tout au long de son histoire [3]. Les philosophes arabes portèrent très loin l'idéal de la raison et de la rationalité, et contribuèrent d'une manière marquante à la sécularisation de la pensée médiévale en Orient et en Occident. La thèse d'Averroès, selon laquelle la Révélation n'avait aucune vérité à ensei-

---

1. Autrement dit, nous reprenons ici le concept d'université populaire.
2. *Cf.* en annexe une annonce de ce projet.
3. *Cf.* les travaux de Christian Jambet, notamment *La Logique des Orientaux*, Paris, Seuil, 1983 ; et, plus récemment, *L'Acte d'être*, Paris, Fayard, 2002.

gner à la raison que celle-ci ne pouvait découvrir par
ses propres moyens, a créé un sillage d'une telle
audace qu'elle ébranla le monde chrétien, dont on
prétend aujourd'hui trop vite qu'il portait en lui la
laïcité ! Alain de Libera rappelle, pour ne prendre que
l'exemple des leçons parisiennes de Raymond Lulle
(1309), que celui-ci « remarqua que les écrits d'Averroès, commentateur d'Aristote, avaient fait dévier plusieurs esprits de la rectitude de la foi catholique.
D'après eux, la foi chrétienne était impossible quant
au mode de la pensée et vraie seulement quant au
mode de la croyance [1] ». Le rôle déterminant joué par
les philosophes arabes dans l'émergence de la figure
médiévale de l'intellectuel occidental, exerçant libre-
ment sa pensée critique, n'est pas discutable aujour-
d'hui, à moins de nier les faits [2]. L'histoire de la laïcité
ne peut oublier, parmi tant d'autres, Avempace (Ibn
Bâja [3]) qui proclama à la fin du XIe siècle la nécessité
de séparer la philosophie et la religion dans la *Lettre
d'adieu et le régime du solitaire*. La civilisation islamique, en se considérant, dès le IXe siècle, comme
l'héritière des œuvres accessibles à l'époque – en

---

1. Alain de Libera, *Penser au Moyen Âge*, Paris, Seuil, 1991,
p. 120.
2. C'est toute la thèse d'Alain de Libera.
3. Ibn Bâja, l'Avempace des Latins, est un philosophe, médecin
et musicologue qui vécut au XIe siècle et préconisa la séparation
entre la religion et la science, la philosophie et la théologie. Il
fut persécuté pour ses idées et mourut empoisonné à Fès.

hébreu, en syriaque, en persan, en hindi, en grec et en latin –, avait assumé une fonction de traduction des cultures qui reposait sur le postulat d'une raison humaine traversant et dépassant toute les croyances.

Cependant, ces expériences de la pensée n'ont pas trouvé leur débouché dans une invention politique libératrice. Quelles que soient les contorsions des islamistes prétendant que la notion de consensus dans la communauté musulmane première recouvre celle de démocratie, afin d'échapper au « dissensus » (selon le mot de Jacques Rancière) qui en est le fondement, cette invention n'a pas eu lieu ici, mais ailleurs, dans l'Europe moderne, à travers notamment la réappropriation actualisée de la chose politique grecque. C'est ce que les premiers voyageurs musulmans dans la modernité européenne (par exemple l'Égyptien Tahtâwî à Paris, entre 1826 et 1831)[1] ont relevé et voulu importer, considérant cette invention politique comme plus prioritaire et portant plus à conséquence que les inventions techniques et scientifiques. Notons que les penseurs de l'Islam médiéval, traducteurs et transmetteurs de l'héritage philosophique grec, ont effectué un tri sélectif dans le registre politique, laissant de côté la question de la citoyenneté athénienne, ce qui n'a probablement pas été sans raisons ni sans conséquences. En effet, la

---

1. Rifâ'at-Tahtâwî, *L'Or de Paris*, trad. fr. d'A. Louca, Paris, Sindbad, 2002.

référence du discours politique en Islam était *La République* de Platon et la figure du philosophe-roi telle qu'elle apparaît aussi chez Al-Farabi [1]. Quant à Averroès, il n'a inclus dans son commentaire d'Aristote que l'*Éthique à Nicomaque*, laissant de côté *La Politique*. Pourquoi ce refus ?

S'il n'y a pas eu dans la civilisation musulmane l'équivalent ou l'approchant du concept de citoyen et de ses effets dans l'histoire, c'est bien l'indice d'une faille systémique qui reste à analyser, hors de tout schématisme et anachronisme.

Car l'urgence pour ce monde nous impose un défi pour la pensée, qui ne se réglera pas par des prescriptions et des slogans. Nous devons ici prendre garde à la confusion des mots et des choses, aux problèmes de traduction, aux questions pratiques de la démocratie et, d'une manière générale, à la dyschronie des historicités entre l'état d'avancement des réalisations démocratiques européennes et la stase du politique dans le monde islamique. La critique des droits de l'homme telle qu'elle se développe chez de nombreux penseurs en Europe et en Amérique, pour justifiée qu'elle soit d'un point de vue théorique et dans l'usage qui en est fait sur la scène militaro-humanitaire, ne doit pas nous conduire à brûler le temps de l'effectivité et à pourfendre ce qui n'est

---

1. Voir à ce sujet Leo Strauss, *Le Platon de Fârâbî* [1945], Paris, Allia, 2002.

qu'une ombre encore dans le monde musulman. Il nous suffit, pour le moment, de revenir à la source de leur déclaration historique et de garder aux droits de l'homme leur attelage avec ceux du citoyen, afin de parer aux entreprises qui les réduisent au seul droit des victimes à demeurer victimes et non-sujets politiques.

L'enjeu de ce qu'on appelle laïcité est, à cet égard, des plus cruciaux. Dès lors que le droit régnant dans le monde musulman s'inspire ou demeure recouvert par le droit divin (*chari'a*)[1], la mise en œuvre du principe d'égalité, corrélatif du sujet-citoyen comme auteur des lois qu'il porte et supporte, est logiquement impossible. Le sujet de droit divin est certes sujet de droit, mais seule la jurisprudence est de son ressort. Quant aux principes, ils relèvent de la parole supposée de Dieu qui en est l'unique Sujet. Par conséquent, ce n'est pas l'immense arsenal jurisprudentiel de l'Islam qui est en cause, mais les principes qui contreviennent à l'égalité ou à la liberté politique et de conscience, lesquelles ont fait l'objet de grandes disputes au Moyen Âge qui correspond à l'époque des Lumières en Islam[2]. La recherche de compromis à ce

---

1. À l'exception de la Turquie et de la Tunisie où la laïcisation du droit est la plus avancée.
2. Ce fut l'objet du débat qu'a connu l'Islam à partir du VIIIᵉ siècle, époque où commence ce qui serait l'équivalent des Lumières en Europe, avec l'émergence de toute une école rationaliste, notamment celle des m'utazalites. Voir à ce sujet Cheikh

niveau – y compris le suspens de certaines applica-
tions de la législation religieuse – relève d'une mysti-
fication qui veut perpétuer les fondements de
l'inégalité et de la cruauté, telle la proposition d'un
moratoire sur la lapidation des femmes. Mais que dire
de tout ce qu'on appelle l'application des châtiments
corporels (*hudûd*), qui n'est que la version coranique
des lois du talion ? Et que faire de la préférence
divine proclamée dans le Coran : « Les hommes ont
autorité sur les femmes du fait qu'Allah a préféré certains d'entre vous à certains autres... » (VI, 34) ; et
que dire du principe juridique qui stipule que le
témoignage d'un homme équivaut à celui de deux
femmes, pour ne citer que quelques-unes des clauses
qui représentent un défi à ce qui s'appelle aujourd'hui
« égalité » et « justice » ?

Distinguer le spirituel du législatif, tel que l'a
pensé et mis en œuvre, à même le corpus coranique,
le philosophe et théologien musulman Mahmud
Muhammad Taha au Soudan (ce qui lui a valu d'être
condamné à mort et exécuté en 1985[1]), est le seul

---

Bouamrane, *Le Problème de la liberté humaine dans la pensée
musulmane*, Paris, Librairie Vrin, 1978.
1. Mahmud Muhammad Taha a tenté de réformer l'islam en mon-
trant l'importance de la jurisprudence et sa supériorité sur le rôle du
Coran comme source de la loi. Il préconisait de nouvelles lois mieux
adaptées aux besoins du XXe siècle. Pour diffuser ses principes, Taha
avait fondé les Frères républicains. Les autorités religieuses de
Khartoum le déclarèrent coupable d'apostasie en 1968. Après le
plus long procès théologique de l'histoire de l'islam, il fut condamné

acte de naissance possible de l'égalité. Toute autre
solution revient à aggraver l'incohérence et la détresse
schizoïde des générations actuelles et à venir. *Notre
insoumission se soutient donc du principe de la séparation inconditionnelle entre foi et droit* [1].

Quant à la question de la sécularisation
comme processus sur lequel s'étaierait la laïcité, nous
avons indiqué qu'il fut un temps où elle était à l'œuvre
dans le monde islamique, mais elle doit être reprise à
travers un nouveau travail d'éclairement de la culture,
dont le projet serait de donner naissance à de nouvelles humanités dans l'Islam. Nous porterons ce projet le plus loin possible avec tous les acteurs qui
souscrivent à la rationalité critique, y compris ceux
qui, de l'intérieur de la religion islamique, s'engagent
à libérer une foi réflexive de la foi dogmatique et
acceptent les principes d'un droit laïque et de la libre
conscience.

De ce point de vue, on ne peut limiter la problématique de la sécularisation aux motifs qui la placent
dans l'orbite du monde judéo-chrétien. À vrai dire, nous

---

à mort en janvier 1985 et publiquement pendu à l'âge de soixante-
seize ans. Ses écrits furent brûlés.
1. De nombreux juristes arabes ont développé à l'époque
actuelle une pensée critique et créative du droit, notamment dans
l'école de Tunis. *Cf.* Yadh Ben Achour, *Politique, religion et
droit dans le monde arabe*, CERES Production, Tunis, 1992 ; Ali
Mezghani et Slim Laghmani, *Écrits sur le droit et la modernité*
(en arabe), Tunis, Sud Éditions, 1994.

ne voyons pas ce qui y prédispose plus dans l'Ancien et le Nouveau Testament que dans le texte coranique. Ou bien alors, il faudrait examiner avec rigueur dans les différentes révélations comment, ici et là, la présence de Dieu s'affirme sur un fond d'absence. Il est même plausible que le fait que la religion islamique ne dispose pas d'une organisation ecclésiastique gardienne du magistère comparable à l'Église (à l'exception du chiisme, bien entendu) soit un facteur susceptible de produire une accélération du processus de sécularisation, si certaines conditions politiques et critiques se trouvaient réunies.

Si l'émergence en Europe d'un droit et d'une organisation de la cité hors d'un fondement religieux fut réalisable, c'est bien parce qu'ils sont devenus pensables là même où ils paraissaient impossibles. Or la possibilité de l'impossible est l'horizon de la pensée de la liberté. Son engagement intense dans l'espace européen a été conduit à travers une œuvre critique pulvérisante qui a déconstruit tous les fondements, jusqu'à la notion même de fondement. À commencer par ce qu'on entend par « homme », dont le propre ne peut se laisser circonvenir dans aucune catégorie ou instance, de sorte que sa liberté originaire va rejoindre sa liberté en devenir de sujet responsable dans le monde : c'est le citoyen. C'est cette pulvérisation critique qui a produit la décision ou l'incision d'où a surgi l'ouverture qu'on appelle « laïcité ». Elle n'enseigne pas la proscription de la foi, mais neutralise les tentatives d'incarnation politique de l'Un, celles-là mêmes qui jettent aujourd'hui l'ombre de leur folie sur le monde musulman.

La laïcité n'a pas pour visée la destruction de l'institution religieuse, mais la limitation des débordements de la « religiosité psychique [1] », dont le caractère passionnel, et autant dire pulsionnel, menace d'une manière incessante l'institution religieuse elle-même, laquelle tente à sa façon de faire prévaloir le principe de responsabilité à l'égard de l'autre, comme tout Autre. Lorsque l'institution religieuse se décompose, comme il arrive chroniquement, et tel est le cas de l'islam aujourd'hui, l'envahissement des forces démoniques archaïques – là où il y a brouillage des limites entre l'animal et l'humain – pulvérise les digues de la raison au point de produire un délire identitaire qui, comme tout délire, se veut une guérison. Or la laïcité telle que nous l'entendons est une autre guérison du mythe identitaire, qui ne rejette pas le principe de la responsabilité de l'humain à l'égard du tout Autre, mais confère à cette responsabilité une effectivité politique à travers le sujet citoyen.

La tâche critique que nous devons mener se déduit de ces prémisses. Elle ne vise pas la répression

---

1. Expression de Jean-Michel Hirt, qui a développé dans une conférence la distinction et les rapports entre « religiosité psychique » et religion (*cf.* « Les trois despotes et l'infidèle », *Cliniques méditerranéennes*, n⁰ 72, janvier 2006).

d'un symptôme, mais une transformation du sujet, pour ouvrir la possibilité d'une guérison politique. Elle peut s'appuyer sur des moments à l'intérieur de l'histoire de l'Islam qui ont dissipé les ténèbres de l'ignorance et illuminé le désir éthique ou esthétique, mais notre insoumission non violente doit se tourner prioritairement vers l'expérience exigeante de la libération au présent, de la liberté comme devenir.

Cet appel à l'insoumission, nous le lançons d'Europe, mais cela ne nous donne aucune position de surplomb. Sa formulation doit compter avec d'autres modalités de lutte et de résistance ailleurs, en cherchant des rencontres et des liaisons signifiantes, mobiles et actuelles. Nous pensons notamment aux organisations non gouvernementales laïques qui travaillent à partir d'une traduction critique des *Droits de l'homme et du citoyen*[1], ou du concept de société civile dans le monde arabe[2]. Cependant, le fait que nous soyons ici en France, sur ce continent européen en remaniement, nous oblige particu-

---

1. Telles que l'Institut arabe des droits de l'homme à Tunis (IADH). Il faut ajouter également que ce qui se passe actuellement au Maroc, avec l'Instance équité et réconciliation concernant les crimes du précédent monarque marocain et de son régime, constitue un événement dans le monde arabe, quelles que soient, par ailleurs, les limites de cette initiative au regard du principe de justice.

2. Nous pensons notamment aux organisations réunies autour du premier Forum civil qui a eu lieu à Beyrouth, du 19 au 22 mars 2004, et à la lettre-rapport qu'elles ont adressée aux chefs d'État de la Ligue arabe, intitulée « La deuxième indépendance ».

lièrement, et de plusieurs manières. D'abord par la chance
d'être dans un espace démocratique qui s'interroge sur son
devenir et en appelle à une démocratie à venir. Cette
situation nous offre la possibilité d'y contribuer par une
greffe historique qui fait naître d'une généalogie de la
liberté un autre sens de la libération ou, plus exactement,
une relance du travail infini de la liberté. Ensuite, du fait
que l'espace européen accueille une multitude se référant
à l'Islam, nous sommes dans une position « entre », ou aux
frontières, position susceptible de relancer le jeu signi-
fiant d'une libération qui ne s'arrête pas aux limites du
continent. En clair, nous avons le devoir de défendre le
principe d'une démocratie qui ne discrimine ni à l'intérieur ni à l'extérieur.

     Sur ce plan, la condition faite aux migrants
et à leurs enfants à l'intérieur des espaces européens
constitue un défi au devenir démocratique. Elle est
marquée par l'accumulation d'une série de quatre
torts, propre à favoriser les processus d'aliénation et
de désubjectivation les plus graves : relégation territo-
riale, discriminations économique et sociale, exclusion de la représentation politique, délégitimation
généalogique. Elle a pour résultat de soustraire un
grand nombre d'entre eux à la vie politique commune,
à quoi certains répondent par des conduites antiso-
ciales, ou par le recours à des recompositions autour
de groupes ethniques ou religieux porteurs de
« mythes identitaires » et revendiquant leur reconnaissance en tant que tels. La réponse des partis poli-

tiques, de la plupart des gouvernements, mais aussi
au niveau de l'Union européenne est pour le moins
faible, lorsqu'elle n'accroît pas la cruauté des processus à l'œuvre. Ainsi en est-il du recours à la notion
de discrimination positive, qui revient à une positiva-
tion de la discrimination, alors même que le lexique
et les ressources d'une politique concrète de l'égalité,
autrement dénommée, existent. Rendre anonymes les
candidatures à l'emploi par une loi, ainsi que les
députés français viennent d'en discuter la proposition
et de la rejeter, est de la même teneur. Sous le noble
motif de la lutte contre les discriminations, elle aurait
légalisé le voilement du visage des migrants et de
leurs enfants ! Les indices ne manquent pas, qui
témoignent que le refoulement colonial entraîne l'inhi-
bition ou l'empêchement des actes de reconnaissance
effective de leur qualité de sujets politiques à ces
femmes et ces hommes. Poursuivra-t-on l'abandon de
populations en danger aux prédicateurs et imams
incultes prodiguant des réparations imaginaires, pui-
sées au creuset de l'obscurantisme ? Ces femmes et
ces hommes seront-ils les porteurs de toutes les
menaces du dehors dans une Europe unie par la peur
et autoaffectée par son passé, ou bien seront-ils les
vecteurs d'une émancipation par-delà les frontières ?

Fethi Benslama
Pour le *Manifeste des libertés*,
Le 15 novembre 2004

# CONTEXTE

Comme je l'indiquais à l'ouverture de cet ouvrage, le texte qui précède fut rédigé à l'instigation d'un groupe de travail composé de signataires du *Manifeste des libertés*, dans lequel des femmes et des hommes appelaient tous ceux qui se reconnaissent à la fois dans les valeurs de la laïcité et dans l'Islam comme culture à sortir de leur isolement et à s'opposer à l'idéologie de l'islamisme.

Intervenu alors que l'affaire du voile occupait l'espace public et prenait une dimension internationale, cet acte a déclenché un mouvement d'adhésion et de soutien qui a dépassé l'attente de ses initiateurs, tant par le nombre de signatures que par la réception attentive de son message[1]. Saisis par cet accueil, par les

1. On peut consulter la liste des 1 500 signataires, les débats et les contributions personnelles des uns et des autres sur le site : http://www.manifeste.org/

effets que leur parole avait provoqués, plusieurs signataires ont décidé de se réunir régulièrement pour suivre
le développement de leur initiative et soumettre à la
réflexion les propositions exprimées dans le *Manifeste*.

À travers les discussions qui ont eu lieu pendant près d'un an, ponctuées par une réunion publique [1], s'est fait jour le désir de clarifier et d'approfondir
l'appel du *Manifeste*, puis de le prolonger par un engagement commun et permanent. Devant l'extrême gra-
vité d'une situation où la référence à l'« islam » est sans
cesse mêlée à la fureur et la violence, le sentiment d'urgence qui avait conduit chacun, individuellement, à le
signer s'est transformé progressivement en une prise de
conscience que, face à ce cours désastreux, il fallait
répondre par une responsabilité collective relevant de
la résistance *politique et intellectuelle*.

L'écriture d'un texte m'ayant été confiée, j'ai
envisagé cette tâche dans l'optique d'une intensifica-
tion de l'argument initial du *Manifeste* plutôt que dans
celle d'une recherche de consensus entre la multiplicité des positions exprimées. L'expérience que nous
avions accumulée les uns et les autres, à travers ces
vingt dernières années gorgées de menace totalitaire,
de mort et de destruction, et le cours même des débats
à l'intérieur du groupe de suivi, ont montré que la
constitution d'un lieu commun ne devait pas emprun-

---

1. Réunion qui a eu lieu le 25 juin 2004 à la mairie du XXe
arrondissement de Paris.

ter la logique consensuelle, mais celle de la diversité
critique et de l'identification discutable. Du reste, le
point sur lequel achoppaient toutes les discussions fut
l'expression « culture musulmane » – censée être le
dénominateur commun des signataires du *Manifeste* –,
comme si cette référence était ce qui nous réunissait
et nous divisait en même temps.

Il faut certes contextualiser cet usage : le but
était de faire apparaître, de l'intérieur d'un ensemble
supposé homogène et de plus en plus capté par une
religiosité funeste, une *dissidence* qui brise le stéréo-
type pétrifié du « musulman », tant dans les représentations occidentales que chez les musulmans eux-
mêmes. Cependant, cette référence à la culture
musulmane peut se payer d'un prix élevé : le recours
à la notion sécularisée de « culture » a servi, nous le
savons, à abriter des usages identitaires et ethnocultu-
ralistes que nous réprouvons, et l'accolement de l'ad-
jectif « musulmane » lui confère une connotation
pieuse qui va à l'encontre du but recherché.

Mais dans l'urgence nous avons tous signé[1].
Les questions que nous nous posions étaient prises
dans le dilemme que je résumerai ainsi : en tant que
laïques, devons-nous conduire la résistance politique

---

1. Voir, sur le site indiqué p. 9, le texte bref que j'ai rédigé sur
ce point et qui fut lu lors de cette réunion publique du 25 juin
2004. D'autres signataires ont également proposé des textes en
réponse à la question : « Pourquoi j'ai signé le *Manifeste* ? »

et intellectuelle à l'intérieur de l'espace qui se réfère
à l'islam, au risque d'être assimilés à sa dimension
religieuse et de collaborer au mythe identitaire de ce
qu'on appelle désormais l'«islamisme», ou au
contraire nous situer à l'extérieur ? Auquel cas à qui
s'adresse-t-on, que sommes-nous en parlant et en écri-
vant « nous » ? Délaisser cette référence, n'est-ce pas
consentir à ce qu'une civilisation soit accaparée par
les forces religieuses, ce qui est la visée des plus radi-
cales d'entre elles ? Sans doute est-ce là l'un des plus
vieux problèmes des mouvements de résistance :
inclusion subversive ou sécession séditieuse ? Toutefois, ces options ne relèvent pas seulement d'une
question « tactique », mais recouvrent un enjeu de
fond que j'exposerai plus loin.

    Pour certains d'entre « nous », il n'y a pas de
véritable choix : la naissance dans l'une des traditions
de l'Islam, les signifiants de la mémoire et du nom
« musulman » nous devancent toujours, et vouloir
l'ignorer est un leurre, car ces signifiants nous rattra-
pent sans cesse. Il faut en assumer dignement la dette
et l'héritage. Leur reniement reviendrait à renforcer
l'effet d'injure qui est de plus en plus associé au
« musulman » dans l'espace occidental, et celui de
honte qu'éprouvent certains « modernes » du monde
islamique. Le discours de l'humiliation qui accompagne l'injure et la honte légitime la cause émotionnelle de ceux qui veulent laver leur honneur dans la
terreur vengeresse. Aujourd'hui, il est urgent que les

laïques se comptent et se rassemblent à l'intérieur de
la référence à l'Islam, qu'ils manifestent leur rupture
avec la logique du mythe identitaire religieux qui s'est
emparée du désir politique. Le positionnement à l'extérieur ou en dehors de l'Islam « nous » disqualifierait
d'emblée au regard des peuples auxquels « nous »
nous adressons.

Pour d'autres, la provenance n'est pas une
destination, bien au contraire l'éloignement, la mise
à distance de toute référence à quelque origine ou
tradition portent le devenir. C'est précisément au nom
de la dette et de l'héritage que se poursuivent aujour-
d'hui l'oppression et l'immobilisation dans les espaces
d'un Islam réduit à un lien dogmatique, à un enchaî-
nement non résiliable à la communauté des croyants.
La laïcité suppose ou implique l'abandon de toute
revendication identitaire au profit du seul sujet politique. La situation historique commande que les singularités se situent à travers ce qu'elles font et non
par rapport à une représentation de l'origine et de la
naissance : « Allons dehors. » Mais alors que font-ils
là, pourquoi ont-ils signé sous une appellation qui fait
problème et pourquoi continuent-ils à en débattre,
sinon parce qu'ils se sentent encore appelés par ce
nom ?

Pour d'autres encore, le problème n'est ni celui-
ci ni celui-là : d'abord la mémoire et la destination
n'obéissent pas simplement à la volonté et à la
conscience maîtrisées. Pas plus qu'à l'unité d'une strate

historique ou d'une construction stable et toujours identique à elle-même. Le choix n'est pas entre l'assignation à un endettement originaire ou à son effacement universalisant. Le cheminement est asymptotique, entre dehors et dedans, donc refusant l'inclusion sans reste et l'extranéité absolue. Sortir du dilemme, c'est faire avec et sans en même temps, ou faire avec autrement. « Nous » n'avons pas à accepter un héritage en bloc, mais à le passer au crible, à saisir notre chance là où l'héritage fait défaut, là où le nom ne peut totaliser les singularités exposées les unes aux autres. Il faut dire ici que la chance de cette initiative est que nombre de signataires et plusieurs membres du groupe de suivi ne sont pas nés de parents musulmans ; ils se sont impliqués en considérant cette référence comme un problème qui les concerne en tant que sujets politiques. Leur présence et leur participation montrent que l'oscillation entre *identification* et *désidentification* ouvre la possibilité de l'expérience commune de la responsabilité universelle, autour d'une situation concrète d'oppression et de menace totalitaire.

Je ne pourrai restituer ici tout le débat complexe qui a eu lieu une année durant[1], toujours est-il que la référence à l'Islam est apparue à la fois comme possible *et* impossible, lieu d'une contradic-

---

1. Pour prendre connaissance de ce débat, consulter le site indiqué plus haut, notamment dans la rubrique « Comptes-rendus ».

tion qu'il fallait affronter pour avoir, peut-être, une chance de déplacer le problème et d'ouvrir de nouvelles perspectives.

C'est en travaillant à l'intérieur de cette faille, sans chercher à la combler ou à en rapprocher trop vite les bords, que l'*insoumission* m'est apparue comme une position de pensée à soutenir dans cette configuration.

La tâche s'est ainsi orientée vers le renversement ou le retournement sur lui-même d'un certain sens attribué aux termes « l/islam » et « musulman ». Car l'invocation de ces noms est aujourd'hui source d'un dérèglement qui porte les menaces les plus graves de destitution de la raison et de la civilisation. « Au nom de l'islam » a proliféré un pouvoir diffus et forcené qui décrète, juge et exécute à sa guise, en vertu de la cause la plus haute dudit nom. C'est ce dont témoigne le déluge quotidien de fatwas à travers lesquelles n'importe quel séide, s'autorisant de lui-même et de son « amour de la Loi », se donne le droit de vie et de mort sur n'importe qui [1]. Se révèlent ainsi

---

1. Le 24 octobre 2004, 4 000 intellectuels du monde arabe adressèrent une lettre au secrétaire général de l'ONU, lui demandant la création d'un tribunal international pour juger les théologiens qui émettent des fatwas légitimant le meurtre de personnes ou de groupes au nom de l'islam de par le monde. En appeler ainsi à la responsabilité de la communauté internationale revient à attirer l'attention sur le fait qu'on ne peut lutter contre le terrorisme si l'on s'en tient seulement à la répression des exécutants, en oubliant ceux qui leur confèrent quotidiennement la légitimité

l'excès, la démesure, la folie qui habitent le recours
au nom, sa force d'assujettissement. En ce sens, l'insoumission est un acte de refus de l'usage qui produit
l'innommable au nom du nom.

Dans les pages qui précèdent, le mot « Islam »
est écrit avec l'initiale en majuscule, pour désigner,
selon la convention typographique française, le nom
propre d'une civilisation, alors que le nom commun
« islam » est réservé au fait religieux, comme c'est le
cas pour d'autres religions. Ce choix n'est pas anodin ;
il ne règle pas la question de fond qui demeure :
*qu'appelle-t-on l'islam, aujourd'hui ?* La réponse à
cette question comporte toujours une prise de position
politique et philosophique, y compris chez ceux qui
se prévalent dans les sciences sociales et politiques
du prétendu sens de la réalité. Il faudrait consacrer
une étude spécifique au problème de la référence à
ce qu'on appelle l'islam. Elle ne résoudrait certaine-
ment pas le problème, mais aboutirait à montrer un
terrain d'affrontement où se révèlent des intentions

---

religieuse. Il s'agissait également de dénoncer l'inaction de nombreux gouvernements à l'égard de ceux qui arment moralement
les tueurs. Notons que le gouvernement britannique fut de ceux
qui ont largement toléré ceux qui émettent des fatwas. Il faut
rappeler que la condamnation à mort de Salman Rushdie en
1989 a commencé dans les faubourgs de Londres, où l'on brûla
ses livres. On trouvera la lettre des 4 000 intellectuels signataires
sur le site : www.metransparent.com.

qui visent des objets différents, et l'existence d'une
multiplicité de lieux nommés I/islam.

La complexité de la référence à l'I/islam, tant
du point de vue anthropologique qu'historique, l'hété-
rogénéité d'un espace constellé de lieux et de discours
ne doivent pas nous faire perdre de vue que cette référence est traversée par une même menace qui revêt
des formes spécifiques ici ou là. Appeler « islamisme » la logique fondamentale de cette menace
pour dégager une responsabilité de façade qui
condamne l'*islamisme* et innocente l'*islam* est trop
court. Il s'agirait là d'une pétition de principe, alors
que la distinction est très difficile à opérer dans les
faits, tant la passion qui travaille tout ce qui touche à
l'I/islam sème la confusion et crée de l'indiscernable.
En témoigne le débat sur le voile en France où nous
avons pu constater, à l'intérieur même du camp des
tenants les plus résolus de la laïcité et de la lutte
contre l'oppression des femmes, des divisions invraisemblables où certains soutenaient le « droit au voile » et d'autres à un petit ou un minivoile, faisant ainsi
cause commune avec les prédicateurs, certes pour
d'autres raisons. À l'inverse, nous avons vu les représentants d'une organisation du culte musulman, qui
avait largement contribué à propager sur le plan international l'« incendie » du voile en accusant l'État
français d'opprimer les musulmans, aller plaider
auprès des dignitaires religieux irakiens, hébétés, les
bienfaits de la laïcité française, cette laïcité que

les preneurs d'otages considèrent comme persécutrice des musulmans [1]. Les exemples abondent, et il suffit d'être un tant soit peu attentif aux discours concernant l'islam pour s'apercevoir que ceux qui les tiennent, individus ou représentants des États dits « modérés », y déposent, consciemment ou inconsciemment, de véritables arsenaux idéologiques à l'usage des extrémistes qu'ils sont supposés combattre.

L'une des caractéristiques de la menace, peut-être de toute grande menace, est qu'elle vient avec la confusion, qu'elle déjoue le discernement et dissout l'entendement. C'est en ce sens qu'il faut considérer qu'un événement a eu lieu au cours de ces dernières années : la mort dans la langue française (ainsi que dans d'autres langues européennes) du concept d'islamisme, lequel, du fait de son usage actuel pour désigner les mouvements islamistes radicaux, ne peut plus nommer la religion de l'islam *stricto sensu*, contrairement au judaïsme et au christianisme. En somme, nous avons perdu le mot qui place la « religion islamique » dans les limites du langage [2]. Comme si une catastrophe à l'intérieur de la langue avait accom-

---

1. Il s'agit de Georges Malbrunot et de Christian Chesnot, pris en otages le 20 août 2004, et dont les ravisseurs réclamaient du gouvernement français l'abrogation de la loi contre le port du voile à l'école.
2. C'est pourquoi, pour souligner ce fait, j'ai proposé ailleurs de l'écrire sous rature : islamisme. *Cf. La Psychanalyse à l'épreuve de l'islam, op. cit.*, p. 76-86.

pagné une confusion dans la réalité entre l'institution religieuse, la diversité humaine qu'elle a marquée historiquement [1] et l'idéologie identitaire qui vise à s'emparer du pouvoir par tous les moyens, pour faire régner l'État islamique total. Aujourd'hui, nous parlons et nous pensons à l'intérieur de cette confusion. Mais si la confusion est source de souffrance pour beaucoup de musulmans, elle permet au contraire à d'autres d'en tirer profit et de diffuser une idéologie homogénéisante, prétendant parler et agir au nom du même.

Il est bien sûr absurde de vouloir résoudre un symptôme sans chercher à élucider ce dont il est l'effet : la confusion relève d'une conjoncture où le langage n'est plus en mesure d'assurer un certain arrangement avec le réel. L'opportunité qu'offre la convention typographique française en distinguant « Islam » et « islam » n'aurait que peu de portée si elle se limitait à un jeu de lettres écrites. Elle ne vise pas à sauver un grand « Islam » d'un petit, en décrétant une étanchéité entre la civilisation et la religion. Elle se fonde sur un constat logique demeuré inaperçu en dépit ou à cause de sa simplicité : le fait religieux, son dogme, son institution sont à l'origine d'une civilisation, mais l'histoire de celle-ci ne s'y réduit pas. Les arts, les littératures, les architectures, les philoso-

---

1. Ce que l'on désigne par chrétienté pour le christianisme mais qui n'a pas d'équivalent pour l'I/islam.

phies, les sciences dans la civilisation islamique, même s'ils entretiennent des liens plus ou moins étroits avec le fait religieux, même s'ils en ont été irrigués à divers degrés, le dépassent, l'excèdent et, plus souvent qu'on ne le croit, le contrarient et cherchent à s'en libérer. Ce dépassement relève ni plus ni moins de ce qu'on appelle la « sécularisation », une sécularisation de fait à l'intérieur de l'histoire de l'Islam, ce qui est bien autre chose que la laïcité, laquelle appartient au lexique de la modernité politique. Soutenir aujourd'hui le projet d'une *laïcité du politique* à l'intérieur de l'Islam, c'est l'enraciner dans cette sécularisation de fait, qui montre que la vie humaine excède toujours le salut auquel elle aspire à travers la religion notamment. Elle l'excède parce que le rapport au vrai ne peut souffrir d'être indéfiniment ajourné, projeté dans l'autre monde, et que, se heurtant à cet impossible, les vivants construisent leurs intérêts communs selon le temps du monde.

L'un des enjeux de cette déclaration est de soutenir que la nouvelle situation historique nous enjoint d'assumer la responsabilité d'un devenir laïque *avec* l'Islam et non sans lui, à partir de ce qui en lui n'a cessé d'excéder la religion. Ou bien si l'on veut, de s'adresser à *ce qui dans l'Islam a toujours excédé l'islam*, dans tous les sens de l'expression.

En quoi cette situation diffère-t-elle de celles qui précèdent ? Pour en saisir la rupture, il faut porter

le regard vers un temps récent, mais qui perdure, vers
une époque d'illusion et d'aveuglement sur la possibilité de contourner l'I/islam, qui s'explique sans doute
par la précipitation vertigineuse des changements au
cours du siècle dernier et par l'ivresse des idéaux
(nationaliste, communiste, socialiste) qui l'ont accom-
pagnée, souvent.

En effet, mis à part ceux qu'on appelle les
réformateurs, dont le projet au XIXᵉ siècle a consisté
à retoucher les constructions théologico-politiques de
l'islam pour mieux en conserver l'édifice, la génération qui se revendiquait de la modernité, du progrès,
de la science, bref, ceux qu'on appelle « la gauche »
(socialiste, marxiste, révolutionnaire, etc.), a exclu
l'I/islam de son champ problématique et critique [1].
Comme si la laïcité était donnée d'emblée, comme si
les idées et les représentations (croyances, mythes,
arts, religion) étaient des sous-produits de l'histoire
qu'on pouvait balayer d'un coup. Par une sorte de
décret souverain, dicté précisément par l'idée de progrès, ils ont cru en sortir sans autre forme de procès.
Or, non seulement l'islam les a rattrapés, mais ils se

---

1. Il faut cependant rappeler l'existence de penseurs qui ont fait
preuve d'une radicalité critique à l'intérieur de l'islam et préco-
nisé des ruptures avec sa théologie politique, sur la base d'un
travail réflexif documenté. Entre la fin du XIXᵉ et le début du
XXᵉ siècle, on peut citer les noms de Tahar Haddad en Tunisie,
de Mansour Fahmi, Kassim Amîn, Tah Hussein en Égypte, ou
de la Syrienne Nadhira Zayneddine.

sont retrouvés enfermés dehors. Dehors, c'est-à-dire
ne comprenant ni ce qui leur arrive, ni ce qu'ils peuvent faire avec ce qui soulève les masses. C'est ainsi
que l'I/islam a pu devenir la chose des serviteurs du
Dieu furieux et de quelques traditionalistes qui
essaient pathétiquement d'innocenter l'islam de ses
« mauvais musulmans ».

On pourrait, usant du lexique psychanalytique
à l'échelle de ce que Freud a appelé la « psyché
de masse », désigner ce fait comme la « forclusion de
l'I/islam » chez les progressistes. La forclusion est un
mécanisme à l'origine de la psychose qui consiste à
rejeter d'avance un élément inconscient fondamental
et à le laisser à l'extérieur du langage et des processus
de subjectivation [1]. Dans cette optique, le mythe identitaire de l'islamisme charrie sur la scène actuelle ce
que le processus supposé de modernisation n'a pas
pris en compte de l'organisation symbolique de l'I/is-
lam. Inutile de décrire la violence de ce retour qui
prend l'aspect d'une « psychose de masse », elle
s'étale quotidiennement sous nos yeux ahuris. Il ne
s'agit pas seulement d'un manque de modernité,
comme on le dit souvent, mais d'une modernité qui a
ignoré son sujet, agie qu'elle fut par l'idéologie du
progressisme, dans laquelle il faut inclure l'impératif

---

1. Nous devons le concept de « forclusion » aux travaux de
Jacques Lacan, qui lui a conféré une valeur heuristique fondamentale dans la genèse de la psychose.

du développement économique et technique, sans prise en compte du travail de la culture (*Kulturarbeit*, selon une expression de Freud) ou, si l'on veut, une modernisation sans les soubassements langagiers qui constituent l'œuvre d'une civilisation. Imagine-t-on dans le monde européen des Lumières qui se seraient dispensées de l'interprétation et de la traduction historique de la culture ancienne du christianisme et du judaïsme ? Auraient-elles pu apparaître sans le langage, sans l'ordre du discours, sans les traditions chrétienne et juive à partir desquelles l'invention proprement moderne a pris son essor critique et déconstructif ? C'est cette modernité par défaut de langage et de subjectivation qui a eu lieu dans les pays islamiques, créant une sorte de tunnel atemporel dans lequel se sont engouffrés l'imaginaire de l'identité mutilée et l'impératif de sa réparation.

Inutile de décrire longuement tout le spectre des réactions qu'a suscitées chez les modernes du monde musulman, ou supposés tels, ce tour de l'histoire, l'irréalité de leur posture, cette condition de séquestrés au-dehors : elles vont de l'indignation devant la supercherie religieuse s'emparant de la politique à la volonté de liquider le phénomène physiquement ; ou bien encore de la conversion islamisante de certains progressistes à la décision de courir plus vite que les islamistes et de fuir très loin, d'oublier l'I/islam, de se faire oublier de lui. Ce n'est pas ici le lieu de brosser tout ce tableau de folie et d'errance, Walter

Benjamin nous en a donné une vision fulgurante devant *Angelus novus* de Paul Klee, l'ange de l'histoire, aux ailes prises dans le souffle de la tempête et au regard hébété[1]. On pourrait rappeler au passage ce qu'il écrivait en 1940 à propos du fascisme : « Celui-ci garde au contraire toutes ses chances, face à des adversaires qui s'opposent à lui au nom du progrès compris comme une norme historique[2]. »

Défaire une forclusion n'est pas tâche aisée, surtout lorsque la fureur de la psychose de masse se déchaîne à travers un mythe identitaire, tel qu'il s'est propagé dans le monde musulman. Quelques chercheurs isolés travaillent depuis près de deux décennies au cœur de ce magma de signifiants en fusion, mais dans un silence indifférent ou même hostile. Des apprentis sorciers de la politique croient pouvoir en sortir en se faisant les compagnons de route desdits islamistes ou en récupérant quelques motifs de leur mythe. Des progressistes continuent à pleurer sur l'histoire, à prendre l'I/islam avec des pincettes et à exhiber une laïcité prête-à-porter. Certains vont jusqu'à réemployer à leur insu les motifs du XVIIIᵉ et du XIXᵉ siècle à propos du judaïsme comme « fossile de l'histoire », selon l'expression de Kant[3]. Des gouver-

---

1. Walter Benjamin, *Œuvres III*, IXᵉ thèse « Sur le concept d'histoire », Paris, Gallimard, 2000, p. 434.
2. *Ibid.*, p. 433.
3. Le débat sur l'émancipation des juifs en Allemagne au cours de la période dite des Lumières (*Aufklärung*) a donné lieu à des

nants croient pouvoir opérer chirurgicalement, par la répression policière ou par la guerre, un trouble qui n'est que le symptôme d'une dislocation des significations affectant les racines politiques de la civilisation.

Il serait long de décrire la cruauté qu'engendre la forclusion et ses effets de déchéance, notamment l'indicible honte qui surplombe le référent I/islam aujourd'hui, honte qui conduit certains à la fuite – mais qui fuit la honte l'a aux trousses ; à une fierté effrontée derrière laquelle suppure la blessure de l'indignité, l'affectivité outragée ; ou encore à l'héroïsme de rédemption, voulant laver l'infâme dans l'infâme. Il est temps de passer à autre chose avec l'I/islam, autre chose qui ne soit ni la fuite insensée, ni l'héritage en bloc, ni la déshérence, une autre affirmation donc, qui réponde du désemparement autrement qu'en se plaçant à l'extérieur, dans l'illusion de la rupture totale et immédiate, dans la promesse d'une rédemption du dehors.

Cet « autre chose », s'il est possible, passe par un acte d'admission de ce qui a été rejeté, sans être pour autant une acceptation automatique de la modalité folle par laquelle l'expulsé voudrait se faire reconnaître. La tentation est grande, en effet, chez

---

positions théologico-philosophiques telles que celle de Kant, qui considère le judaïsme comme une religion fossilisée, devant être éliminée. *Cf.* à ce sujet le livre de Georges Zimra, *Freud, les juifs, les Allemands*, Paris, Érès, 2002.

beaucoup de démocrates, sous le prétexte d'intégrer l'I/islam, de composer avec le mythe identitaire
de l'« islamisme » et de lui conférer ses lettres de
créance, dès lors que ses porte-parole consentent à
quelques ravalements de façade.

Ici commencent à s'éclairer les raisons pour
lesquelles il m'a semblé qu'il est de ma responsabilité, en tant que psychanalyste, de faire de l'I/islam
l'objet de mes recherches, et pourquoi j'ai décidé,
avec mes amis du *Manifeste*, de monter au front politique avec cette déclaration.

*Commencer par admettre ce qui a été rejeté* est
le fondement éthique de la psychanalyse. C'est ce que
sa règle fondamentale de tout dire suppose. Mais son
fondement n'est pas de dire tout, ce qui serait une
injonction terrifiante, ni le projet d'une libération par
le dire sans limites, mais plus radicalement l'hospitalité inconditionnelle à l'égard de l'humain comme être
parlant. Tout commence, en effet, par un « oui » pour
chaque humain qui vient à la vie, un oui porté par le
nom qui appelle chacun à l'existence dans la communauté de la langue. Mais ce oui préalable est insuffisant et doit être relayé par un non, repris et proféré
par le sujet qui signe ainsi son entrée dans le langage.
C'est à partir de cette négation que « je » commence
à répondre de ce oui originaire. « Répondre de » est
bien la locution qui désigne l'expérience de la responsabilité. Elle est donc l'expérience par laquelle « je »

me dissocie de l'autre et des autres, mais cette disso-
ciation nécessaire ne peut être séparée du oui primor-
dial qu'elle continue à charrier sans cesse. Dire non
à ce qui se présente aujourd'hui « au nom de l'islam »
passe donc par un acte d'admission des éléments
constitutifs de son sujet historique.

C'est pourquoi la tâche de l'*insoumission*
consiste à entrer dans les espaces langagiers de l'I/is-
lam, certes pour les mettre à l'épreuve de l'historicité,
de la critique, de l'analyse, de la déconstruction. Mais
cela resterait insuffisant si l'admission se réduisait à
une méthode universitaire (ce qui n'est pas si négli-
geable dans le règne actuel de l'ignorance) ; si elle
ne prenait pas la forme d'un réveil de la dimension
dramatique et destinale des conflits, qu'on rencontre
parfois chez un auteur tel qu'Averroès (Ibn Ruchd)
dans le *Traité décisif*[1], cherchant le compromis entre
croire et savoir, mais faisant par le même geste
comparaître la religion devant la science philosophique (la logique de l'époque). Tant de chercheurs
au cœur du Moyen Âge, même s'ils avaient la foi, ont
compris la nécessité de ce que l'on pourrait appeler
un « athéisme suppositionnel[2] » pour progresser dans

---

1. Ibn Ruchd (1126-1198), *L'Accord de la religion et de la philosophie. Traité décisif*, trad. fr. de L. Gauthier, Paris, Sindbad,
1988.
2. Par athéisme suppositionnel, je désigne la posture à partir de
laquelle un sujet suspend les certitudes de sa croyance, pour
s'engager dans un processus de pensée, de sorte que l'idéal ne

la recherche. Le désœuvrement de Dieu est un vieux
principe logique et méthodique. Il est dans le mythe
même de sa création, puisqu'il a fallu que Dieu
s'écarte de lui-même pour créer le monde, selon la
tradition biblique. C'est ce que l'islam a repris autrement, à travers la fameuse parole ou hadîth [1] qui a
servi à tant de chercheurs d'âme : « J'étais un trésor
caché et j'ai aimé à être connu. Alors j'ai créé les
créatures afin d'être connu par elles. » Autant dire
qu'il a fallu que Dieu s'altère et s'écarte dans le miroir
de l'autre pour devenir l'objet de sa propre connaissance dans le monde. Le Dieu de l'islam se fait donc
sujet divisé, entre lui-même et son œuvre, entre son
identité et sa création. Il n'est pas indifférent pour le
repérage de la question de la sécularisation de relever
que la *logia* de l'humain réside dans cette division
spéculaire.

Je n'ignore pas l'objection, désormais clas-
sique, de l'antagonisme entre l'espace de la cure
psychanalytique et le champ politique. Je ne lui oppo-
serai pas l'argument selon lequel un psychanalyste
hors du divan est un citoyen et, on peut l'espérer, un

---

se confond ni avec l'objet du savoir, ni avec le procès de la
causalité. Ainsi en est-il d'Averroès, lorsqu'il affirme qu'il n'y a
rien dans la parole de Dieu que la raison humaine ne puisse
découvrir par elle-même. Averroès ne cesse pas pour autant de
croire en Dieu, mais suppose le savoir et la raison du côté du
sujet humain, comme cause efficiente.
1. C'est-à-dire une parole du prophète fondateur de l'islam.

homme de culture. Car cette évidence vaut aussi bien
pour le paysan hors de son champ ou pour le menui-
sier loin de son établi. Un tel clivage abonderait dans
le sens de la conception technicienne de la psychanalyse, qui arguerait très vite des limites de ses compé-
tences et préconiserait l'abstention politique comme
solution, ou bien encore qui invoquerait les dangers
de la psychanalyse appliquée, comme si le divan pro-
tégeait en soi d'un placage de la psychanalyse.

Bien plus radicalement, il me semblerait perti-
nent de considérer que l'espace de la cure psychanalytique donne refuge à un genre de parole qui relève
des conditions de possibilité du politique, entendu au
moins depuis Platon comme soin de la communauté
humaine, et non pas seulement comme « cuisine gou-
vernementale »[1]. C'est ce qui fait que l'espace de la
cure est une extension du politique, une extension
intensive et en archipel d'un fondement qui présuppose l'égale dignité des paroles humaines sans condition.

L'acte par lequel un psychanalyste ouvre la
possibilité à des humains de se désenlacer d'eux-
mêmes et de leur communauté de naissance est un
acte politique, quel que soit le lieu où il l'effectue, à

---

1. Voir à ce sujet la distinction établie par Jacques Rancière
entre *le* politique qui concerne le fondement de la communauté
et *la* politique qui relève de la gestion et de la police de la cité :
Jacques Rancière, *Aux bords du politique*, Paris, La Fabrique,
1998.

la condition que l'adresse soit appropriée. Désenlacer n'est pas rompre, mais permettre le retrait de l'illusion selon laquelle l'objet du désir pourrait rejoindre l'idéal ou le devenir coïncider avec l'origine. C'est la dernière leçon de Freud, lorsqu'il fit de Moïse un étranger à son peuple, leçon politique autant qu'analytique, qui n'est pas venue d'un homme qui s'est placé à l'extérieur du judaïsme, comme on le sait, même s'il n'a jamais adhéré à la religion, mais de quelqu'un qui a opéré une disjonction de l'intérieur des signifiants collectifs de la mémoire et du nom mosaïque qui lui ont été transmis, acte que je propose d'appeler l'*inclusion disjonctive*.

   Ce n'est pas en récusant de l'extérieur le trop-plein identitaire d'un ensemble humain, c'est-à-dire le culte du « nous » enlacé à la scène originaire, que l'on se donne la chance de créer des espacements libérateurs. En fait, ce culte ne cesse jamais dès lors qu'il y a communauté humaine. Il croît et décroît selon les circonstances historiques. Le désinvestissement des scènes originaires sans recréation conduit à la mort de l'être-ensemble. L'hyperinvestissement de ces scènes provoque des catastrophes politiques identitaires. Le cœur de la question politique réside alors dans les opérations susceptibles de séparer des corps amalgamés par la passion en une unité imaginaire, en un corps immortel, parfois à cause de traumatismes réels qui les ont conduits à fusionner avec la scène primitive du pouvoir et à se soumettre à elle. Disjoindre ces corps passe par l'entrée dans l'espace du langage, dans la logique des passions[1], dans les constructions dramaturgiques de ce qui se répète à défaut de se souvenir. L'inclusion disjonctive suppose davantage encore, que dans les espaces en question (langue, mémoire, tradition) existent des expériences et des énoncés qui ont produit des émancipations dont il est nécessaire de reprendre le geste insurrectionnel. C'est en ce sens que l'insoumission est en même temps un acte de fidélité à ce qui, dans le passé, ne s'est pas laissé circonvenir par une essence, au-delà des formes concrètes dans lesquelles il s'est manifesté à une époque donnée.

Il n'y a aucune chance pour que de nouvelles lumières apparaissent dans le monde musulman sans de tels actes, sans le désir politique et analytique qui les sous-tend. Certes, nous savons qu'ils commencent à avoir lieu ici et là, mais sans doute pas au degré d'ébranlement souhaitable. Cette déclaration d'insoumission, qui ne prétend pas embrasser l'ensemble des problèmes, vise à aiguiser ce désir, ou à le réveiller.

Juillet 2005

---

1. Selon le titre du livre de Roland Gori, *Logique des passions*, Paris, Denoël, 2002.

## REMERCIEMENTS

Une première version de ce texte a fait l'objet d'une discussion avec plusieurs signataires du *Manifeste des libertés*, et a bénéficié de la lecture critique de Brigitte Allal, Tewfik Allal, Sophie Bessis, Chahla Chafiq, Frédérique Frin, Ghislaine Glasson-Deschaumes, Baya Kassimi, Yassaman Montazami, Catherine Pinson-Guillaume, Michèle Sinapi-Guérin, Nadia Tazi.

ANNEXES

# Déclaration de fondation
## de l'Association du Manifeste des libertés [1]

Nous sommes des femmes et des hommes porteurs des valeurs de la laïcité et du partage dans un monde commun. Liés par nos histoires singulières, et de différentes manières, à l'Islam, ayant pris la mesure des graves crises qui le traversent, nous avons décidé de nous mobiliser pour créer les conditions politiques et intellectuelles d'une culture de la liberté.

---

1. Toute personne qui souhaite adhérer à l'Association du Manifeste des libertés devra souscrire à ce texte, qui en est l'acte de fondation (par l'assemblée générale constitutive du 17 décembre 2004). Cet acte se situe dans le prolongement du débat qui a eu lieu depuis la publication du *Manifeste des libertés*, le 16 février 2004, en tant qu'expression d'une volonté de résistance contre l'entreprise mortifère prétendant, « au nom de l'islam », imposer un ordre totalitaire. Plus de 1 500 personnes ont signé le *Manifeste des libertés* (*cf.* http://www.manifeste.org/).

Espace d'une civilisation hétérogène, irréductible au seul fait religieux et aux seuls musulmans, l'Islam est aujourd'hui, et pour quelque temps encore, un lieu qui cristallise dans le monde globalisé nombre de ses périls : fascisme identitaire et emprise totalitaire, guerres civiles et coloniales, despotismes et dictatures, inégalité et injustice, haine de soi et haine de l'autre, au milieu de violences politiques, religieuses et économiques extrêmes.

À ces forces de destruction, dont ce lieu est à la fois la source et la cible, nous voulons nous opposer par une action publique, ouverte à toute personne, sans distinction de naissance ou d'appartenance, qui souscrit aux engagements que nous considérons comme nécessaires, afin d'ouvrir un nouvel horizon à l'espoir.

Si le principe général de ces engagements est que *la démocratie est l'institution du politique*, nous savons que sa réalisation ne peut se décréter, ni être imposée par des expéditions militaires, mais résulte d'une action transformatrice critique et inventive. Elle doit toucher les structures internes de l'Islam et modifier les rapports à ses bords géopolitiques.

D'une manière non exhaustive, nous soutenons que cette action doit viser, en priorité, à libérer la pensée et la politique de la théologie, libération dont l'État laïque est l'expression institutionnelle ; à affirmer l'égalité de droit et de fait des femmes et des hommes, qui, dans la situation actuelle de l'Islam, constitue le passage obligé pour tout processus laïque et démocratique ; à lutter contre toutes les formes de racisme et d'antisémitisme ; à combattre les discriminations qui affectent les minorités identifiées par leur culture, leur religion ou leur orientation sexuelle.

Dans ce contexte, les migrants et leurs enfants représentent un enjeu de premier plan, en tant qu'ils forment l'élément par lequel s'imbriquent les civilisations et s'incarne la chance d'un avenir démocratique partagé. Se porter à la hauteur de cette responsabilité implique une mobilisation plus résolue contre les processus de relégation, de discrimination et de fragilisation politique dont ils sont l'objet. L'absence d'analyse critique de l'histoire coloniale pèse encore sur leur devenir.

Notre but est de favoriser l'expression des forces de résistance, pour combattre partout l'islamisme totalitaire et les États despotiques qui, conjointement, oppriment les femmes et les hommes dans le monde musulman. Convaincre les gouvernements démocratiques de renoncer à la stratégie du double langage et de la démocratie ajournée en est le corollaire. Leur engagement réel pour la paix dans les zones de conflit et de violence politique est la condition de leur crédibilité.

Notre action, à vocation transnationale, vise à développer et à soutenir *les expériences de la liberté* dans tous les domaines de la pensée, des arts et des savoirs.

Paris, 17 décembre 2004

Pour tout contact et toutes informations :
aml@noos.fr

# Une Université des libertés

Le projet d'une *Université des libertés* doit son nom et son inspiration à l'initiative du *Manifeste des libertés* (2004), à travers lequel plus de 1 500 signataires avaient appelé à conjuguer leurs efforts pour promouvoir la libre pensée, les valeurs laïques et les savoirs critiques à l'intérieur des cultures de l'islam.

Ce projet vise la création d'un lieu qui favorise l'émergence de *nouvelles humanités* en Islam, accessibles à tous et sans condition. Grâce aux techniques informatiques de la communication, de l'archivation et de la diffusion des savoirs, le concept d'université, dans son acception non académique, peut contribuer à une tâche dont l'urgence est désormais flagrante.

Elle se fonde sur les constats suivants :

— il est nécessaire de modifier le rapport des musulmans à leur propre culture, qui reste majoritairement marquée par une construction non historique, par une représentation non relativisée, par une foi non réflexive, bref par une conception du monde qui n'a pas connu le travail critique et scientifique de la culture moderne ;

— cette culture moderne reste l'apanage d'une élite dont les savoirs demeurent enfermés dans des lieux et des supports restreints, certes nécessaires, mais sans incidences sur le cours de la vie commune de la majorité ;

— jusqu'au milieu des années 80, ces élites intellectuelles et scientifiques ont délaissé l'univers de représentation de l'islam, ses ressources traditionnelles et savantes comme objet d'un savoir susceptible de modifier le rapport au passé et d'irriguer le présent ;

— dans cette brèche s'est engouffrée l'idéologie actuelle de « l'islamisme », qui propose des réponses simplificatrices et des idéaux totalisants face aux angoisses des populations vivant dans un monde devenu inintelligible et non relié à leur univers symbolique. Ces réponses usent des supports les plus accessibles. Il suffit de taper le mot « islam » sur n'importe quel moteur de recherche d'Internet pour recevoir un déluge d'offres à décérébrer ;

— il est patent que les institutions classiques du savoir (dont le rôle est encore une fois crucial en soi), non plus que leurs acteurs isolés les uns des autres, ne sont en mesure, et pour différentes raisons, d'offrir une alternative à ce défi, alors même que leurs connaissances des cultures de l'Islam ont progressé sur tous les plans. De *nouvelles humanités* se construisent dans l'ombre, confinées par toutes sortes de contraintes.

C'est pourquoi notre but est d'affirmer la nécessité de *sortir* vers l'espace de la vie publique et de porter vers le commun les savoirs et les pensées, les débats et les

critiques, les expériences de la liberté et les espoirs
d'émancipation par la raison, bref de redonner sa chance
à *la force de l'idée* dans l'histoire.

À cette fin, nous nous proposons de créer un dispositif léger et réactif *autour d'un site Internet*, usant des
meilleurs moyens techniques afin de permettre à n'importe
quelle personne dans le monde d'accéder aux *nouvelles
humanités* de l'islam. Cependant, l'*Université des libertés*
est appelée à déborder la dimension virtuelle, pour des
relais dans la réalité à étudier, tels que des universités
itinérantes et des rencontres avec les habitants des quar-
tiers défavorisés.

Le site Internet de l'*Université des libertés* aura les
caractéristiques générales suivantes :

— il sera construit au fur et à mesure pour aborder
tous les sujets et toutes les disciplines, à travers une pro-
gression allant de l'initiation à la recherche ;

— les langues d'usage seront le français, l'arabe et
l'anglais, sans nécessairement traduire tout dans les trois
langues ;

— ce site, outre une équipe technique et pédago-
gique avec une coordination éditoriale, s'appuiera sur *un
réseau, à constituer, de chercheurs, d'enseignants et d'intellectuels travaillant sur les cultures de l'Islam à travers le
monde*, sous leurs différents aspects ;

— ce projet sera défini et piloté par un comité
international ;

— l'*Université des libertés* aura son siège permanent en France, elle créera des liens de collaboration et de
partenariat avec des institutions universitaires, de
recherche et de culture dans tous les pays. Elle sera un

lieu de ressources pour toutes les institutions éducatives et culturelles, pour les collectivités publiques. De sorte que l'*Université des libertés* n'impulsera pas seulement une modification du rapport des musulmans à l'Islam, mais de tous, tant il est évident que l'Islam n'est pas l'enjeu exclusif des musulmans.

Fethi Benslama

# TABLE

Composition et mise en page

NORD COMPO
m u l t i m é d i a

Achevé d'imprimer par Dupli-Print (95)
en novembre 2014
N° d'impression : 2014110182

*Imprimé en France*

N° d'édition : L.01EHQN000517.N001
Dépôt légal : mai 2011